"读原著·学原文·悟原理"丛书

《反杜林论》这样学

孙熙国 张梧 主编

王蔚 吴波 张懿 著

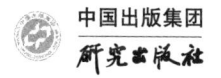

中国出版集团
研究出版社

图书在版编目(CIP)数据

《反杜林论》这样学/王蔚,吴波,张懿著.——北京:研究出版社,2022.4
ISBN 978-7-5199-1187-4

Ⅰ.①反… Ⅱ.①王…②吴…③张… Ⅲ.①《反杜林论》-恩格斯著作研究 Ⅳ.①A124

中国版本图书馆CIP数据核字(2022)第050160号

出 品 人:赵卜慧
出版统筹:张高里 丁 波
责任编辑:朱唯唯

《反杜林论》这样学
FAN DULINLUN ZHEYANGXUE

王蔚 吴波 张懿 著

研究出版社 出版发行

(100006 北京市东城区灯市口大街100号华腾商务楼)
北京中科印刷有限公司印刷 新华书店经销
2022年4月第1版 2023年1月第3次印刷
开本:787毫米×1092毫米 1/32 印张:3.75
字数:50千字
ISBN 978-7-5199-1187-4 定价:28.00元
电话(010)64217619 64217612(发行部)

版权所有·侵权必究
凡购买本社图书,如有印制质量问题,我社负责调换。

"读原著·学原文·悟原理"
丛书编委会

编委会主任：

孙熙国　孙蚌珠　孙代尧　张　梧

编委（以姓氏笔画为序）：

王　蔚　王继华　田　曦　任　远

孙代尧　孙蚌珠　孙熙国　朱　红

朱正平　吴　波　李　洁　何　娟

汪　越　张　梧　张　晶　张　懿

余志利　张艳萍　易佳乐　房静雅

金德楠　侯春兰　姚景谦　梅沙白

曹金龙　韩致宁

编委会主任

孙熙国，北京大学马克思主义学院教授、博导，北京大学习近平新时代中国特色社会主义思想研究院常务副院长，北京大学学位委员会马克思主义理论学科分会主席，国家"万人计划"教学名师，中央马克思主义理论研究和建设工程课题组首席专家，国务院学位委员会马克思主义理论学科评议组成员，教育部马克思主义理论类专业教学指导委员会副主任委员。兼任国际易学联合会会长，中国历史唯物主义学会副会长，北京市高教学会马克思主义原理研究会会长。

在《哲学研究》等刊物发表学术论文百余篇，著有《先秦哲学的意蕴》《马克思主义基本原理前沿问题研究》(第一作者)等，主编高校哲学专业统一使用重点教材《中国哲学史》，主编全国高中生统用教科书《思想政治·生活与哲学》《思想政治·哲学与文化》，获首届全国优秀教材一等奖。主持"马藏早期文献与马克思主义在中国的早期传播""马克思主义基本原理的学科对象与理论体系"等国家哲学社会科学重大项目和重点项目。

孙蚌珠，经济学博士，教授。现任北京大学马克思主义学院党委书记、习近平新时代中国特色社会主义研究院副院长。教育部高等学校思想政治理论课教学指导委员会委员总教指委主任委员、"形势与政策"和"当代世界经济和政治"分指导委员会主任委员。马克思主义研究和建设工程首席专家，国家义务教育教科书"道德与法治"编委会主任，国家统编高中思想政治教材《经济与社会》主编、国家中等职业学校思想政治教材编委会主任。中国政治经济学学会副会长、中国《资本论》研究会副会长。主要从事政治经济学、中国特色社会主义经济理论与实践研究，获得过北京市科学技术进步二等奖，是全国首届百名优秀"两课"教师、全国思想政治理论课影响力标兵人物、北京市高等学校教师名师、国家"万人计划"教学名师、享受国务院政府特殊津贴专家。

孙代尧，北京大学法学学士、硕士和博士。现任北京大学博雅特聘教授、社会科学学部学术委员和马克思主义学院学术委员会主任,《北京大学学报(哲学社会科学版)》主编。曾任马克思主义学院副院长、学位委员会主席、教育部高校思政课教学指导委员会委员。

先后入选国务院政府特殊津贴专家、中宣部全国文化名家暨"四个一批"人才、国家"万人计划"第一批哲学社会科学领军人才;担任中央马克思主义理论研究和建设工程专家、中国科学社会主义学会副会长等。

主要从事马克思主义理论、社会主义历史和理论等领域的教学和研究。担任教育部哲学社会科学研究重大课题攻关项目、国家社科基金重大项目首席专家。科研成果曾获北京市哲学社会科学优秀成果一等奖等多个奖项。

张梧,哲学博士。现为北京大学哲学系助理教授、研究员、博士生导师,中国人学学会秘书长、北京大学中国特色社会主义理论体系研究中心研究员、济宁干部政德学院"尼山学者"。主要研究方向是马克思主义哲学史、社会发展理论等。曾著有《马克思恩格斯〈德意志意识形态〉研究读本》《社会发展的全球审视》等学术专著,在《哲学研究》等核心期刊发表论文30余篇。

代序

马克思主义可以这样学

马克思主义应该怎样学？马克思主义经典著作应该怎样读？北京大学马克思主义学院以博士生的"马克思主义经典著作研读"课为抓手，进行了积极的探索，走出了一条"读原著、学原文、悟原理"的新路子，逐步形成了马克思主义理论专业人才培养的"北大模式"。

北京大学具有学习、研究和传播马克思主义的光荣传统。北京大学是中国马克思主义的发祥地，是中国共产党最早的活动基地，是中国马克思主义理论教育的诞生地。1920年，李大钊在北大开设了"唯物史观""工人的国际运动与社会主义的将来""社会主义与社会运动"等马克思主义理论课程和专题讲座，带领学生阅读马克思主义经典著作，公开讲授和宣传马克思主义。李大钊在北大所做的这些工作，与拉布里奥拉在意大利罗马大学、布哈林在苏俄红色教授学院、河上肇在日本京都帝国大学进行的马克思主义理论教学和研究工作,共同开启了马克思主义理论进入高校课堂的先河。

一百多年过去了,一代代的北大人始终把学习研究和宣传马克思主义作为自己的崇高使命,始终把马克思主义经典著作的学习研读作为教育教学的一项重要内容。2014年5月4日,习近平在北京大学师生座谈会上的讲话中指出,北京大学是新文化运动的中心和五四运动的策源地,是这段光荣历史的见证者。长期以来,北京大学广大师生始终与祖国和人民共命运、与时代和社会同前进,在各条战线上为我国革命、建设、改革事业作出了重要贡献。2018年5月2日,习近平总书记在北京大学考察时指出,北京大学是中国最早传播和研究马克思主义的地方。中国共产党的主要创始人和一些早期著名活动家,正是在北大工作或学习期间开始阅读马克思主义著作、传播马克思主义的,并推动了中国共产党的建立。这是北大的骄傲,也是北大的光荣。由此我们可以看到,北大具有学习研究和传播马克思主义的光荣传统,具有与祖国和人民共命运、与时代和社会同前进的光荣传统,具有爱国、进步、民主、科学的光荣传统。因此，如果要讲北大传统，首先就是马克思主义的传统；如果要讲北大精神，首先就是马克思主义的精神。北大学习研究和传播马克思主义的精神和传统始终与马克思主义经典著作的研读和学习紧紧结合在一起。

2018年5月2日，习近平总书记视察北大马克思主义学院时指出："高校马克思主义学院就是要坚持'马院姓马，在马言马'的鲜明导向和办学原则，为巩固马克思主义在意识形态领域的指导地位，推动马克思主义进校园、进课堂、进学生头脑，发挥应有作用。"在习近平总书记重要讲话精神的指导下，北京大学马克思主义学院逐步确立了以"埋首经典，关注现实"为基本理念、以马克思主义经典文献学习研读为重要内容的马克思主义卓越人才培养的"北大模式"。其中加强和完善"马克思主义经典著作研读"课程，并对研究生、特别是博士研究生进行马克思主义经典著作的中期考核成为北大博士生培养的一个重要环节。

北京大学马克思主义学院的学生究竟怎样学习马克思主义基本原理？怎样阅读马克思主义经典著作呢？

习近平总书记指出："学习理论最有效的办法是

读原著、学原文、悟原理。"要学好马克思主义理论，就必须要读马克思主义经典作家的原著，学马克思主义经典作家的原文，悟马克思主义基本原理。一句话，就是必须要学好马克思主义经典著作。"马克思主义经典著作"这门课一直是我国高校马克思主义学院研究生的核心课程。北大给硕士生开设的马克思主义经典著作课叫"马克思主义经典著作导读"，给博士生开设的马克思主义经典著作课叫"马克思主义经典著作研读"。我负责博士生的"马克思主义经典著作研读"课始自2010年秋季。一开始是我一个人讲，后来孙蚌珠、孙代尧老师加入进来，再后来马克思主义基本原理所、马克思主义发展史所的老师们也陆续加入到了本课程的教学和研究工作中。博士生的"马克思主义经典著作研读"课程的学习时间是一年，学习阅读的文本有30多篇。北大学习研读经典文本的基本方式是在学习某一文本之前，先由学生来做文献综述，通过文献综述把这一文本的文献概况、主要内容、学界争论的焦点问题、学者研究的基本方法和形成的基本范式梳理概括出来。呈现给读者的这套《读原著、学原文、悟原理》丛书，就是北京大学马克思主义学院2016级博士生在"马克思主义经典著作研读"课程学习过程中，在授课老师指导下围绕所学的马克思恩格斯经典文本完成的成果结集。授课教师从2016级博士生的研读成果中精选出了优秀的研究成果，经反复修改完善，以"读原著、学原文、悟原理"作为丛书书名出版。

本丛书收录了从马克思高中毕业撰写的三篇作文到恩格斯晚年撰写的《路德维希·费尔巴哈和德国古典哲学的终结》等代表性著述20余篇。这20篇著作是北京大学马克思主义学院马克思主义理论一级学科各专业和政治经济学、科学社会主义与国际共产主义运动专业博士生必修课"马克思主义经典著作研读"的必学书目。丛书作者对这20余篇著作的研究状况和研究内容的梳理、概括和总结，基本上反映了北大"马克思主义经典著作研读"课程的主要内容，展现了北大马克思主义学院博士生学习研读马克思主义经典著作的基本情况，是北大博士生阅读马克思主义经典文本、学习马克思主义基本原理的一个缩影。在某种意义上说，这些成果体现了北大马克思主义学院博士生学习马克思主义经典著作的基本方式。因此，我们可以自豪地说，马克思主义经典文本可以"这样读"，马克思主义基本原理可以"这样学"。

本书对马克思恩格斯每一时期文本的介绍和阐释主要是围绕以下四个方面的内容展开的。一是对马克思恩格斯这一文本的写作、出版和传播等主要情况的介绍和说明，二是对这一文本的主要内容的介绍和提炼，三是对国内外学者关于这一文本研究的基本方法、形成的基本范式和切入点的概括总结，四是对国内外学者在这一文本研究过程中所涉及到的一些具有争议性的问题或焦点问题的梳理和辨析。在每一章的后面，作者又较为详细地列出了该文本研究的主要参考文献，也就是关于每一个文本的代表性研究成果。本书力图从以上四个方面入手，尽可能客观全面地展示国内外学者关于马克思恩格斯这些经典文本的研究状况、研究结论和研究方法，以期对马克思主义学院师生学习、研读马克思主义经典著作提供参考和借鉴。

马克思主义理论是我们做好一切工作的看家本领，也是领导干部必须普遍掌握的工作制胜的看家本领。我们期望这套20本的"读原著、学原文、悟原理"丛书能够在这方面给大家提供一些积极的启示和有益的帮助。

孙熙国

2022.2

目 录 | CONTENTS

一、文献写作概况　　　　　　001

二、文献内容概要　　　　　　005

三、研究范式　　　　　　　　045

四、焦点问题　　　　　　　　060

一、文献写作概况

马克思主义自问世以来,就不断遭到各种诽谤和误读。19世纪70年代,欧洲主要资本主义国家的生产力迅猛发展,科技水平不断提升,资本主义的发展开始由自由竞争向垄断资本主义过渡,与此同时,各国的工人运动也风起云涌。特别是1871年的巴黎公社运动,建立了第一个工人阶级政权,极大地推动了国际共产主义运动的发展。虽然巴黎公社最后以失败告终,但是马克思主义却在总结巴黎公社的经验教训中,既取得了理论上的发展,也在实践中逐步成为工人运动的指导思想。1875年5月,德国社会民主党的建立,是马克思主义在工人运动中取得胜利的重要体现。但与此同时,诽谤马克思主义的人也不断滋生,小资产阶级社会主义的代表杜林就是其中之一。从1867年开始,杜林就撰文攻击马克思的《资本论》,并逐步向马克思主义发起了全面挑战。"在官方政治经济学阵营内,迄今只出现了杜林博士（柏林大学讲师，凯里的信徒）的一篇评论（即杜林的《马克思〈资本论。政治经济学批判〉》）。"[1]杜林的思想在德国社会民主党中影响极大，伯恩斯坦和倍倍尔这两位德国社会民主党的领军人物都成了杜林的拥趸，伯恩斯坦曾写道："1872年底，杜林的《国民经济学和社会经济学教程》出版，在这本书中，作者完全以一个激进的社会主义者的面貌出现……为了在社会民主党的队伍里宣传这本书，几乎没有一个人比我做过更多的事情，对于在70年代中期席卷了一批积极的党员同志的杜林崇拜，也没有任何人比本文作者起过更大作用。"[2]倍倍尔对杜林的《国民经济学和社会经济学教程》也评论道："他的基本观点是出色的，我们完全赞同。因此，我们宣布：继马克思的《资本论》之后，杜林的最新著作属于经济学领域最近出现的优秀著作之列。"[3]杜林的理论严重侵蚀了德国社会民主党，以至于党内的杜林主义分子公然要

---

[1] 《马克思恩格斯全集》第32卷，人民出版社1974年版，第539页。
[2] 中共中央编译局国际共运史研究室编：《研究〈反杜林论〉参考史料》，生活·读书·新知三联书店1980年版，第7页。
[3] 中共中央编译局国际共运史研究室编：《研究〈反杜林论〉参考史料》，生活·读书·新知三联书店1980年版，第41页。

动摇马克思主义的指导地位。

鉴于杜林思想在德国社会民主党内对马克思主义所产生的巨大冲击以及所造成的思想混乱，马克思和恩格斯不得不重新认识杜林主义的严重危害性，并认为完全有必要全面地阐述马克思主义理论，对杜林的思想进行有力的回应，从而捍卫马克思主义。1876年5月28日，恩格斯致信马克思，谈及他批判杜林的总计划："我的计划已经订好。开始时我将纯粹就事论事地，看起来很认真地对待这些胡说，随着对他的荒谬性和平庸性这两个方面的揭露越来越深入，批判就变得越来越尖锐，最后给他一顿密如冰雹的打击。"[1]恩格斯写作《反杜林论》用时两年，从1876年5月底开始准备，到1878年6月完成。《反杜林论》第一编《欧根·杜林先生在哲学中实行的变革》写于1876年9月—1877年1月，以一组论文的形式发表，该编最后一章即论述政治经济学史的第十章由马克思撰写，恩格斯做了修改；该书的第二编《欧根·杜林先生在政治经济学中实行的变革》写于1877年6—12月；

---

[1]《马克思恩格斯文集》第10卷，人民出版社2009年版，第414页。

第三编《欧根·杜林先生在社会主义中实行的变革》写于1878年上半年。总体来看,《反杜林论》在粉碎杜林主义的进攻、从理论上清算杜林主义方面,发挥了关键性和决定性作用。

在《反杜林论》中,恩格斯针对杜林的《哲学教程》《国民经济学和社会经济学》以及《国民经济学和社会主义批判史》三部著作中的错误观点,分别从哲学、政治经济学和科学社会主义三个方面给予了有力回击,也从这三个方面对马克思主义做了全面系统的阐述,揭示了这三部分之间的内在逻辑关系。即唯物辩证法和唯物史观作为科学的世界观和方法论,贯穿于马克思主义政治经济学和科学社会主义;而唯物主义历史观和通过剩余价值揭开资本主义生产的秘密,使社会主义变成了科学。

《反杜林论》自问世以来影响深远。列宁在《马克思主义的三个来源和三个组成部分》中给予了高度评价:"在恩格斯的著作《路德维希·费尔巴哈》和《反杜林论》里最明确最详尽地阐述了他们的观点,这两部著作同《共产党宣言》一样,都是每个觉悟工人必读的书籍。"①问世至今,《反杜林论》以多种语言出版了多种版本,对指导各国工人运动具有积极意义。俄国最早接触《反杜林论》的是斯米尔诺夫,《反杜林论》出版之后,恩格斯就致信斯米尔诺夫:"昨天我给您寄去了一本我反对杜林的著作,但愿您已经收到。"②然而,真正在苏联广泛流传的版本是"二战"后苏联马列主义研究院根据1894年德文版第三版《反杜林论》重新修校而成的。中国最早翻译《反杜林论》的是吴亮平(又名吴黎平),1930年由上海江南书店出版。现今中央编译局出版的《马克思恩格斯文集》(2009年版)中的《反杜林论》是根据马恩全集历史考证版(MEGA2)和马恩全集德文版校订的。

二、文献内容概要

《反杜林论》是恩格斯阐述马克思主义基本理论的重要著作。在这部著作中,恩格斯通过对欧根·杜林在哲学、经济学和社会主义领域宣扬的错误观点的批判,对马克思主义的三个组成部分——

---

① 《列宁专题文集·论马克思主义》,人民出版社2009年版,第67页。
② 《马克思恩格斯全集》第34卷,人民出版社1972年版,第310页。

哲学、政治经济学和科学社会主义做了全面系统的阐述，揭示了这三个组成部分之间的内在联系，指出唯物辩证法和唯物史观作为科学的世界观和方法论，贯穿于马克思主义政治经济学和科学社会主义，唯物史观和剩余价值理论的创立使社会主义由空想变为科学。

（一）马克思主义哲学

在哲学编中，恩格斯批判了杜林的先验主义，指出"逻辑模式只能同思维形式有关系；但是这里所谈的只是存在的形式，外部世界的形式，思维永远不能从自身中，而只能从外部世界中汲取和引出这些形式。这样一来，全部关系都颠倒了：原则不是研究的出发点，而是它的最终结果；这些原则不是被应用于自然界和人类历史，而是从它们中抽象出来的；不是自然界和人类去适应原则，而是原则只有在符合自然界和历史的情况下才是正确的。这是对事物的唯一唯物主义的观点，而杜林先生的相反的观点是唯心主义的，它把事物完全头足倒置了，从思想中，从世界形成之前就久远地存在于某个地方的模式、方案或范畴中，来构造现实世界，这完全像一个叫作黑格尔的人的做法"①。

恩格斯也阐述了辩证唯物主义的基本原理。首先是世界的物质性,指出"世界的统一性并不在于它的存在,尽管世界的存在是它的统一性的前提,因为世界必须先存在,然后才能是统一的。在我们的视野的范围之外,存在甚至完全是一个悬而未决的问题。世界的真正的统一性在于它的物质性,而这种物质性不是由魔术师的三两句话所证明的,而是由哲学和自然科学的长期的和持续的发展所证明的"②。其次恩格斯也认为世界物质的基本存在形式是空间和时间,他指出"一切存在的基本形式是空间和时间,时间以外的存在像空间以外的存在一样,是非常荒诞的事情"③。最后恩格斯也论述了物质的存在方式——运动,指出:运动是物质的存在方式。无论何时何地,都没有也不可能有没有运动的物质。宇宙空间中的运动,各个天体上较小的物体的机械运动,表现为热或者表现为电流或磁流的分子振动,化学的分解和化合,有机生命——宇宙

---

① 《马克思恩格斯文集》第9卷,人民出版社2009年版,第38页。
② 《马克思恩格斯文集》第9卷,人民出版社2009年版,第47页。
③ 《马克思恩格斯文集》第9卷,人民出版社2009年版,第56页。

中的每一个物质原子在每一瞬间都处在一种或另一种上述运动形式中,或者同时处在数种上述运动形式中。任何静止、任何平衡都只是相对的,只有对这种或那种特定的运动形式来说才是有意义的。例如,某一物体在地球上可以处于机械的平衡,即处于力学意义上的静止;这绝不妨碍这一物体参加地球的运动和整个太阳系的运动,同样也不妨碍它的最小的物理粒子实现由它的温度所造成的振动,也不妨碍它的物质原子经历化学的过程。没有运动的物质和没有物质的运动一样,是不可想象的。因此,运动和物质本身一样,是既不能创造也不能消灭的;正如比较早的哲学(笛卡尔)所说的:存在于宇宙中的运动的量永远是一样的。因此,运动不能创造,只能转移。如果运动从一个物体转移到另一个物体,如果它是自己转移的,是主动的,那么就可以把它看作被转移的、被动的运动的原因。我们把这种主动的运动叫作力,把被动的运动叫作力的表现。因此非常明显,力和力的表现是一样大的,因为在它们两者中,实现的是同一的运动。[①]

[①] 《马克思恩格斯文集》第9卷,人民出版社2009年版,第64页。

最后恩格斯论述了唯物辩证法的基本规律，指出"辩证法不过是关于自然界、人类社会和思维的运动和发展的普遍规律的科学"[①]；除此之外恩格斯还阐明了人类认识的辩证过程、相对真理和绝对真理的关系以及马克思主义的道德观、平等观和自由观等。

（二）马克思主义政治经济学

《反杜林论》的第二编主要介绍了政治经济学的相关理论，共十小节，依次介绍了政治经济学的对象和方法、暴力论、价值论、简单劳动和复合劳动、资本和剩余价值、经济的自然规律以及《批判史》。

1.政治经济学的对象和方法

恩格斯这一编最开始通过论述政治经济学研究的客观对象及方法对杜林在政治经济学领域的正义观念进行了批判。恩格斯指出，政治经济学是"研究人类社会中支配物质生活资料的生产和交换的规律的科学"[②]。由于生产与交换所发生的情况建立在不同的条件之下，因此政治经济学在各个时代、国

[①] 《马克思恩格斯文集》第9卷，人民出版社2009年版，第149页。
[②] 《马克思恩格斯文集》第9卷，人民出版社2009年版，第153页。

家各不相同。由此，恩格斯特别强调，"政治经济学本质上是一门历史的科学"①。

恩格斯将"生产"与"交换"视作研究经济曲线的横坐标和纵坐标，并指出随着历史上一定社会生产与交换的方式与方法的诞生，同时也产生了产品的分配方式，随着分配方式的差别的出现产生了阶级的差别。恩格斯指出，分配并不仅仅是生产和交换的消极产物，它反过来也在影响生产与交换。恩格斯指出，新生产方式和交换形式必须经过长期的斗争才能取得与之相应的分配形式。

恩格斯指出，"一个社会的分配总是同这个社会的物质生存条件相联系"②，并看到，当一种生产方式在处于自身的上升阶段时，即便与之相适应的分配方式下处于弱势地位的人也会欢迎这种方式。比如，在大工业最初兴起时的英国工人。只有随着这种生产方式不断走向自己发展的尽头，开始走向衰落，当这一生产方式自身存在的条件已经开始大部分消失而新的生产方式即将到来时，这种与旧生产方式所相适应的分配形式才会被认为是不平等

---

①② 《马克思恩格斯文集》第9卷，人民出版社2009年版，第153页。

的，并且是非正义的。由此恩格斯进一步指出了经济学的任务是证明开始显露的社会弊病是现存生产方式的必然结果，并且是这种生产方式即将瓦解的征兆。恩格斯指出，这种正在瓦解的经济运动形式是从内部发展的，是规律性的而非偶然的。

在恩格斯看来，一门研究人类各种社会进行生产和交换并相应地进行产品分配的条件和形式的科学，即广义的政治经济学仍有待创造。恩格斯指出，杜林把经济学归为永恒的规律，并把全部分配理论从经济学的领域搬到了道德和法的领域中，使得分配的非正义后果仅仅成为一个"蛰居书斋的学者的关于正义和非正义的观念"[①]。

2.暴力论

恩格斯在第二编《暴力论》和《暴力论（续）》中对杜林关于经济与政治的关系以及人类奴役的根源进行了批判，并由此阐释关于私有财产起源、暴力的根源以及经济与政治的相应关系等历史唯物主义和政治经济学的基本观点。

（1）第一小节《暴力论》。恩格斯的《暴力论》

---

① 《马克思恩格斯文集》第9卷，人民出版社2009年版，第165页。

共分三个小节,第一小节中,恩格斯主要对杜林所指的"政治关系的形式是历史上基础性的东西,而经济的依存不过是一种结果或特殊情形,因而总是次等的事实",以及从属的本原的东西"必须从直接的政治暴力中去寻找,而不是从间接的经济力量中去寻找……"等观点进行了直接回应。恩格斯首先指出,只有像杜林那样"自以为是"才能把重大政治历史事件看作历史上起决定作用的观念。其次,恩格斯强调,虽然杜林提出的关于到目前为止的全部历史可以归结为人对人的奴役这一观点是正确的,但是杜林远远未能弄清事情的本原。恩格斯通过鲁滨孙奴役星期五的例子指出杜林原本想要证明的暴力是历史上最基础性的东西这一观念并不能成立,相反,却体现出暴力仅仅是手段,而经济利益才是目的。

杜林将现代所有制看作暴力的所有制,并认为"这种统治形式的基础不仅在于禁止同胞使用天然的生活资料,而且更重要得多的是在于强迫人们从事奴隶的劳役"。恩格斯指出,杜林这一看法恰恰将全部关系颠倒了,事实上,强迫人们从事奴隶的劳役意味着强迫者必须占有劳动资料,只有借助这些劳动资料才能实现奴役。在任何情况下，这些奴役者都必须拥有超过平均水平的财产。这一财产的获得方式可以是掠夺，可以建立在暴力的基础上，但也可以是劳动、经商、偷窃、欺骗等其他方式。只是，财产必须先由劳动生产出来才能被掠夺。在此基础上，恩格斯又更进一步论证了私有财产在历史上的出现，决不仅仅是掠夺和暴力的结果。

恩格斯指出，在古代自然形成的公社中已经产生了私有财产，在原始的贵族形成过程中也不完全是基于暴力，而是基于自愿与习惯。私有财产的形成是由于生产关系和交换关系的变化，并且出于提高生产和促进交换的目的。因此，恩格斯指出，"暴力虽然可以改变占有状况，但是不能创造私有财产本身"[1]。

接下来恩格斯借用马克思在《资本论》中的论述继续指出，即便是强迫人们从事奴役劳动的现代形式——雇佣劳动，也不能用暴力或者基于暴力的所有制去说明，而杜林所指的"基于暴力的所有制"不过是用来掩饰对事物进程毫不了解的空话。

---

[1]《马克思恩格斯文集》第9卷，人民出版社2009年版，第170页。

恩格斯指出,从历史上看,整个资产阶级的发展史上起决定性的武器是他们经济上的权利手段,同封建势力斗争的胜利主要是由于经济上的力量增长。而现在在资产阶级社会产生问题或者需求变革的情况下,资产者却求助暴力,这不过是他们同样陷入了杜林先生所陷入的迷途。

(2)第二小节《暴力论(续)》。在这一小节中,恩格斯主要针对杜林关于暴力与经济的关系的错误论断进行了驳斥。恩格斯指出,暴力不是单纯的意志行为,暴力的实现需要具备各种前提,特别是工具前提。换言之,恩格斯注意到,暴力的胜利是以武器的生产为基础的,而武器的生产以整个生产为基础。因此,恩格斯指出暴力是以"经济力量""经济状况",以可供暴力支配的物质手段为基础的。

恩格斯看到,就当时的情形来分析,暴力的主要渠道是陆军和海军。这两者都需要巨额资金的支持。暴力虽然能够掠夺已有的金钱,但是却不能铸造金钱,归根结底,金钱必须通过经济的生产才能够取得。因此,恩格斯总结道:"暴力还是由经济状况来决定的,经济状况给暴力提供配备和保持暴力工具的手段。"① 就军队的情况来看，装备、编制、战术、战略等首先依赖于当时的生产水平和交通状况。

恩格斯认为历史上火器的采用同样不仅是一种暴力行为，同时也是一种工业上、经济上的进步。恩格斯分析了几次著名战争，并反复强调了上述观念，指出军队的全部组织和作战方式以及与之有关的胜负，取决于物质的即经济的条件，而杜林先生所认为的直接的政治暴力是决定经济状况的原因这一看法事实上完全将这种关系进行了颠倒。

（3）第三小节《暴力论（续完）》。在《暴力论》的最后一部分，恩格斯针对杜林所指出的政治暴力与经济结构之间的错位关系进一步进行了批判。恩格斯在这一章节，首先对杜林的观点进行了总结，概括出了杜林的一个核心命题。杜林认为，人对自然界的统治是以人对人的统治为前提的，为了证明这一命题，杜林指出大面积的地产的经营在任何时候都由被奴役者进行，杜林把"自然界"这一概念转换为"大面积的地产"，并认为没有被奴役者就

---

① 《马克思恩格斯文集》第9卷，人民出版社2009年版，第174页。

无法耕种土地。

恩格斯对杜林这一论断进行了驳斥，指出，首先，"对自然界的统治"和"地产的经营"并不是一回事，在工业中体现出对自然的统治的地方比农业领域往往更多。其次，如果只限于谈论大面积的地产经营，还需要讨论清楚这个地产的归属。从历史的文明上看，除所谓的"大地主"之外，起初还有共同占有土地的氏族公社和农村公社。杜林并不清楚在所有欧洲和亚洲的文明民族中都存在过的原始土地公有形式，也不了解这种所有制的存在和解体的各种形式。因此，杜林所断言的大面积的地产的经营需要有地主和被奴役者的说法纯粹是他的自由创造物和想象物。恩格斯又列举了东方社会的许多不同情形，并进一步论证了杜林观点的狭隘。杜林认为，大面积土地的开垦差不多就是全部耕地的开垦，任何情况下都是由大地主和被奴役者来进行的。恩格斯指出，这种论断实际上体现出了杜林对历史的物质化。

如果说，杜林所断言的人对人的统治是以人对自然界的统治为前提的，那么他实际上不过是表明当时的整个经济状况已经达到的农业和工业的发展阶段，是在阶级对立中和统治与奴役关系中展开的，那么他说的不过是《共产主义宣言》发表以来老生常谈的内容。面对这一问题只用"暴力"来回答并没有做出更进一步的努力，而真正的问题应当去说明这种统治关系和奴役关系。

恩格斯随即总结道，这些关系实际上是通过两种途径产生的。首先，最基础的一种情形是从历史上国家权力的萌芽来看，社会职能起初是一些调停矛盾的公共类职位，随着生产力水平的提高，人口增多、需要处理的利益问题与矛盾增多，这些职位就随着一些特定的方式形成公共服务类机构。这些社会服务职能是怎么样上升为对社会的统治的呢？恩格斯指出，问题在于确定这样一个事实，"政治统治到处都以执行某种社会职能为基础，而且政治统治只有在它执行了它的这种社会职能时才能持续下去"[①]。除了这样一种阶级形成的过程，还有一种形式是从农业家族的内部自发分工建立起来的。当达到一定的富裕程度，这些农民就有可能吸收一个或几个外面的劳动力到家族中。这就说明，生产已

---

① 《马克思恩格斯文集》第9卷，人民出版社2009年版，第187页。

经发展到人的劳动力所生产的东西超过了单纯维持劳动力所需要的数量，劳动力因此获得了某种价值。也正是在这种情形下，战俘才具备了价值。这样一来，就不是暴力支配经济状况，而是暴力被迫为经济状况服务。也因此产生了奴隶制。恩格斯看到，在历史上，奴隶制起到了一定的积极作用，"只有奴隶制才使农业和工业之间的更大规模的分工成为可能，从而使古代世界的繁荣，使希腊文化成为可能"①。

恩格斯指出，在剥削阶级与被剥削阶级之间形成的一切历史对立，都可以从人的劳动这种相对不发展的生产率中得到说明。恩格斯总结道，对于经济的发展暴力在历史中起到的作用主要有两种，"第一，一切政治权力起先都是以某种经济的、社会的职能为基础的，随着社会成员由于原始公社的瓦解而变为私人生产者，因而和社会公共职能的执行者更加疏远，这种权力不断得到加强。第二，政治权力在对社会独立起来并且从公仆变为主人以后，可以朝两个方向起作用。或者它按照合乎规律的经

---

① 《马克思恩格斯文集》第9卷，人民出版社2009年版，第188页。

济发展的精神和方向发生作用，在这种情况下，它和经济发展之间没有任何冲突，经济发展加快速度。或者它违反经济发展而发生作用，在这种情况下，除去少数例外，它照例总是在经济发展的压力下陷于崩溃"①。

最后，恩格斯还批判了杜林对暴力的单一否定性的评判。恩格斯指出，在杜林看来，暴力是绝对的坏事，第一次的暴力行为是原罪，杜林的论述只不过是在论证暴力行为的原罪是如何玷污了过去到现在的全部历史并扭曲了自然以及社会的规律。但是，恩格斯强调，暴力在历史上还起着另一种革命性的作用，这就是"社会运动借以为自己开辟道路并摧毁僵化的垂死的政治形式的工具"②。

3.价值论

在这一部分，恩格斯主要针对杜林关于财富的错误定义进行了驳斥，并由此阐释了马克思价值论的内涵。杜林对于财富做出了如下论断："到现在为止的经济学的主要概念叫作财富，而财富，正像它直到现在真正地在世界历史上被理解的那样，像

---

① 《马克思恩格斯文集》第9卷，人民出版社2009年版，第190页。
② 《马克思恩格斯文集》第9卷，人民出版社2009年版，第191页。

它的领域被人们所阐述的那样,是'对人和物的经济权力'。"[1]恩格斯指出,杜林关于财富的定义产生了双重的错误。首先,在古代氏族公社和农村公社中,财富并不是对人的支配。其次,在那些阶级对立中运动的社会里,财富对人的支配主要是依靠对物的支配来实现的。而杜林的定义,则把财富从经济领域拖到了道德的领域。

恩格斯进一步论述,杜林的这一做法实际上产生的后果是从生产和分配两个角度来看待财富,那么作为对物的支配的财富,即生产财富可以是好的方面,而作为对人的支配的财富,即分配财富,则是坏的方面。由此得出的结论就是,资本主义的生产方式是合理的,可以继续存在,但是资本主义的分配方式完全不适用,必须废除。杜林对生产与分配之间的关系并没有进行科学理解,才会得到这样的谬误。

在对财富进行错误论述后,杜林对价值也进行了定义,杜林认为,"价值是经济物品和经济服务在交往中所具有的意义"[2],这种意义上,价值与价

---

[1]《马克思恩格斯文集》第9卷,人民出版社2009年版,第193页。
[2]《马克思恩格斯文集》第9卷,人民出版社2009年版,第194页。

格相等。恩格斯总结了杜林对价值的定义，指出，杜林认为一个劳动产品的价值由制造这个产品所必需的劳动时间决定，这一观点还比较合理。但是这一观点，在杜林之前早已被知晓。但是杜林并不是仅仅陈述了这一客观事实，而是对这一事实进行了歪曲解读。在杜林看来，一个人在任何物品所投入的力量的多少，是价值和价值量的直接决定原因。恩格斯指出，这种说法是完全错误的。首先，如果某个人制造的是对其他人没有使用价值的物品，如果制造者坚持用手工方法去制造产品而用机器生产所花费的力量只是手工的几十分之一，那么这个制造者所投入的比机器多余的力量也没有创造成价值，或者创造成一定的价值量。其次，如果把积极创造产品的生产劳动转变为消极克服阻力的活动就歪曲了事实。

在驳斥杜林关于价值的错误论断的基础上，恩格斯进一步批判了杜林关于分配价值的理论，并批判了杜林认为一件商品的价值是由生产费用来决定的错误观点。恩格斯指出，"杜林先生是把他的社会主义直接建立在最坏的庸俗经济学的学说之上的。他的社会主义和这种庸俗经济学具有同样的价值。二者存亡与共"①。

4.简单劳动和复合劳动

在这一章节,恩格斯主要针对杜林对马克思的价值论所做出的片面理解以及否定进行了批判,同时在这一过程中系统阐释并区分了马克思价值论中简单劳动与复杂劳动的概念。杜林对马克思的误读是认为马克思对熟练劳动的不同价值应该怎样区分并不清楚,并对马克思的价值论产生了"强烈愤怒"。造成杜林误读的主要的这一段话是马克思对商品价值的决定进行的回答,马克思指出,商品的价值是由包含在商品中的人的劳动决定的,人的劳动是每个没有任何专长的普通人的有机体平均具有的简单劳动力的耗费。同时,马克思还认为,比较复杂的劳动等于多量的简单劳动,并强调这种简化是经常进行的。在马克思看来,一个商品可能是最复杂的劳动产品,但是它的价值使其与简单劳动的产品相等而本身只表现一定量的简单劳动。各种劳动,无论是复杂还是简单,都化为计量单位的简单劳动的不同比例。这一比例由生产背后的社会过程

---

① 《马克思恩格斯文集》第9卷,人民出版社2009年版,第201页。

所决定，因而似乎是由习惯决定。

恩格斯指出，马克思在这里所谈到的仅仅是关于商品价值的决定，根本不是杜林所指摘的"绝对价值"。恩格斯解释，这种价值在特定历史范围由体现在单个商品中的人的劳动来计量，而这种人的劳动是简单劳动力的耗费。但是，并非任何劳动都是简单劳动，许多类型的劳动包括更为复杂的劳动，这种劳动被恩格斯称为"复合劳动"，复合劳动与简单劳动在相等时间所生产出的商品价值显然并不相等。复合劳动的产品价值需要通过表现为一定量的简单劳动来体现，但是这一复合劳动简化为简单劳动的过程，是由社会过程所完成的。恩格斯提及，在阐述价值理论时，这一过程只是进行了确定并没有具体说明。

杜林将复合劳动与简单劳动抽象地对等了起来。根据杜林的理论，在经济公社中也只能用耗费的劳动时间来计量经济物品价值。杜林从一开始就认为每个人的劳动时间都是完全相等的，一切劳动时间毫无例外在原则上都完全等价。这种观念认为，在有教养的阶级来看，承认小推车者的劳动时间和建筑师的劳动时间在经济上完全等价好像很奇怪。在杜林抽象的平等观看来，没有必要将复合劳动转化为简单劳动进行计算，劳动直接就是平均的。恩格斯指出，如果劳动时间等价意味着每个劳动者在相等时间生产出的价值相等，并且不必先得出一个平均的东西，那么显然是错误的。劳动的技巧、强度都有所不同。这一事实，只有杜林才看作弊病。如果抽象地将一切劳动都完全进行等化，那么接下来的一切都没有了进行深入研究的必要，所剩下来的工作就只能是夸夸其谈的空话。

恩格斯对杜林的抽象劳动价值观点进行批判之后，进一步解释了如何解决关于对复合劳动支付较高工资的问题。恩格斯指出，在私人生产者的社会中，培养熟练劳动者的费用是由私人家庭负担的，所以熟练的劳动力的较高价格也首先应当归私人所有。熟练的奴隶卖得贵，熟练的雇佣工人得到较高的工资。按照社会主义原则组织起来的社会中，这种费用是由社会负担的，因此复合劳动的成果，即所创造的比较大的价值也应当归社会所有。工人本身没有任何额外的要求。

5. 资本和剩余价值

恩格斯用两个小节在《反杜林论》中讨论了与

资本和剩余价值相关的内容。恩格斯指出，杜林歪曲了马克思的观点，硬将马克思的观点扭曲为资本是由货币产生的。恩格斯借反驳杜林的机会进一步讨论了货币如何转化为资本。恩格斯指出，马克思进一步研究了货币转化为资本的过程，并首先发现货币作为资本的流通形式，同货币作为商品的一般等价物流通的形式是相反的。资本家是为卖而买，并为了获取剩余价值。

恩格斯在这里指出，马克思关于解决剩余价值是如何产生的功劳是划时代的。恩格斯在这里进行了论述，指出这一问题是这样解决的："应该转化为资本的货币的价值增长，不能在这种货币上发生，也不能起源于购买，因为这种货币在这里只是实现商品的价格，而这种价格，由于我们假定相交换的是相等的价值，和商品的价值是没有区别的。根据同一理由，价值的增长也不能由商品的出卖产生。所以这种变化必定发生在所购买的商品中，但不是发生在商品的价值中，因为商品是按照它的价值买卖的，而是发生在商品的使用价值本身中，就是说，价值的变化一定是从商品的消费中产生。'从商品的消费中取得价值，我们的货币占有者就必须幸运地……在市场上发现这样一种商品，它的使用价值本身具有成为价值源泉的独特属性，因此，它的实际消费本身就是劳动的对象化，从而是价值的创造。货币占有者在市场上找到了这样一种独特的商品，这就是劳动能力或劳动力'。"① 劳动力成为商品，并且是一种特殊的商品，这种商品的价值仅仅是由工人为了维持自己劳动状态和延续后代所需要的生活资料所必须耗费的劳动时间所决定的。而劳动力商品的特殊的使用价值却正是工人能够出卖劳动力的前提，即资本家购买劳动力能够使用劳动力创造更多的价值。恩格斯指出，由于马克思说明了剩余价值的产生，因此他就揭露了现代资本主义生产方式以及以它为基础的占有方式的机制，揭示了整个现代社会制度得以确立起来的核心。

当然，这种资本的产生有一个先决条件，这就是必须要在商品市场上找到自由工人。这种自由，一方面他只能够出卖劳动力，没有别的商品可以出售，自由得一无所有；另一方面，恩格斯强调，这

---

① 《马克思恩格斯文集》第9卷，人民出版社2009年版，第221页。

种自由也是历史发展的结果。恩格斯指出，直到15—16世纪，封建生产方式的崩溃才第一次产生了大量的自由劳动者。

恩格斯在批判杜林观点的过程中将杜林与马克思的资本观念的区别进行了具体说明。恩格斯指出，在马克思看来，为生产资料的所有者生产生活资料。可见，剩余劳动，即超出劳动者维持自身生活所必需的时间以外的劳动，以及这种剩余劳动的产品被别人占有，即对劳动的剥削，是到目前为止一切在阶级对立中运动的社会形式的共同点。但是，当剩余劳动的产品采取了剩余价值的形式，当生产资料所有者找到了自由的工人并且作为剥削对象，并且为生产商品而剥削工人的时候，生产资料才具有资本的特殊性质。这种情形只是在15世纪末16世纪初才大规模地出现。

而杜林却将任何形式的剩余劳动的任何数量的生产资料都解释为资本。换句话说，杜林先生剽窃了马克思发现的剩余劳动，在杜林先生看来，雅典的市民利用奴隶经营的动产和不动产、罗马帝国时代的大土地占有者的财富、中世纪封建领主的财富等只要以某种方式为生产服务，毫无差别地都是资本。同时，恩格斯还指出，杜林的理论总是充满矛盾，他先是把那种认为资本是一个历史阶段的说法斥责为"历史幻想和逻辑幻想的杂种"，后来他自己又把资本说成一个历史阶段。并且，在杜林看来，马克思所说的剩余价值无非就是人们通常所说的资本赢利或利润的东西。

但事实上，却并不只是这样简单的关系。恩格斯进一步解释了马克思的剩余价值观点。恩格斯通过引用马克思著作中多处相关的解释论证强调马克思一有机会就提醒读者注意，决不要把他所说的剩余价值同利润或资本赢利相混淆，后者只是剩余价值的一种派生形式，甚至常常只是剩余价值的一小部分。因此杜林对马克思的误读只可能有两种情况：要么杜林对马克思《资本论》的主要内容一无所知却要加以诋毁，要么就是故意捏造。

6. 经济的自然规律

恩格斯在这里进一步对杜林理论的核心，所谓的经济的自然规律进行了批判。首先杜林所发现的这一规律是，"经济手段（自然资源和人力）的生产率因发明和发现而提高"①。恩格斯指出,发明和发现在一些情况下是提高了劳动生产力这一点我们早已知道,但是这一陈词滥调竟使全部经济学的基本规律归功于杜林。其次,杜林认为,"职业的区分和活动的划分提高了劳动生产率"②。恩格斯指出,这一观点从亚当·斯密以来,也已经是老生常谈。

接下来,恩格斯进一步批判了杜林对地租这一概念所下的定义。杜林认为,地租是"土地所有者本身从土地上得到的收入"③。这一观点看似合理,但实际上杜林却把他本来应当加以解释的地租这个经济学概念不假思索地翻译成法律词汇,因此他不得不做进一步的探讨。恩格斯引用了杜林著作的观点,并指出,在杜林看来,应当把租地农场主的赢利看作一种工资,但是从来没有一个英国经济学家会这样想。租地农场主的利润无疑是资本利润,这是没有任何疑虑的。恩格斯进一步指出,在杜林先生看来,地租和资本赢利的区别,只在于前者产生于农业,而后者产生于工业或商业。恩格斯对此进

---

① 《马克思恩格斯文集》第9卷,人民出版社2009年版,第231页。
② 《马克思恩格斯文集》第9卷,人民出版社2009年版,第232页。
③ 《马克思恩格斯文集》第9卷,人民出版社2009年版,第233页。

行了驳斥，指出，杜林为证明自己的观点把地租说成农业中得到的全部剩余产品，不得不去解决两个问题：一方面是英国租地农场主的利润，另一方面是由此而来的、为整个古典经济学所承认的剩余产品之分为地租和租地农场主的利润，因而也就是纯粹的、精确的地租概念。

在面对这两个问题时，恩格斯指出，杜林"假装丝毫不知道农业剩余产品分为租地农场主利润和地租，也就是说丝毫不知道古典经济学的整个地租理论；好像在整个经济学中租地农场主的利润究竟是什么这个问题还根本没有'这样明确地'被提出来过；好像这里所探讨的是一种完全没有被研究过的对象，关于这个对象，似乎除假象和种种疑虑以外，人们一无所知。在讨厌的英国，农业中的剩余产品未经任何理论学派的任何干预就被无情地分为这样的组成部分：地租和资本利润。而杜林先生就从这个讨厌的国家逃到他所热爱的、行使普鲁士邦法的区域。在这个区域中，盛行的是以完备的宗法形式经营自己的土地，'土地占有者把地租理解为自己那块土地上的收入'，而容克老爷们关于地租的见解甚至妄想成为对科学具有决定意义的见解，所以在这里，杜林先生还可以指望自己的关于地租和利润的混乱概念能够蒙混过关，甚至让人们相信他的最新发现：不是租地农场主把地租付给土地占有者，而是土地占有者把地租付给租地农场主"①。

7.《批判史》

恩格斯在最后用不小的篇幅对杜林著作《国民经济学批判史》进行了批判。主要针对杜林对亚里士多德、配第、休谟、魁奈、米拉波等人的错误解读进行了批判，并最后指出，当分析了杜林的政治经济学的"自造的体系"后得到的结论是，在一切豪言壮语和更加伟大的诺言之后，我们也像在"哲学"上一样受了骗。从价值论得出的结果是：杜林先生把价值理解为五种完全不同的、彼此直接矛盾的东西，所以杜林自己也并不知道自己想要的是什么。因此，如此大吹大擂地来宣告的"一切经济的自然规律"，原来全都是众所周知的老生常谈。

恩格斯继续指出，杜林的自造的体系关于经济事实向我们提供的唯一解释是：这些事实是"暴力"的结果，这一观点只不过是几千年来一切国家

---

① 《马克思恩格斯文集》第9卷，人民出版社2009年版，第236页。

的庸人在遭遇一切不幸时聊以自慰的词句,我们丝毫没有比未读以前知道得多一些。杜林先生不去研究这种暴力的起源和作用,而只叫我们感恩戴德地安于"暴力"这个字眼,把它当作一切经济现象的终极原因和最后说明。

当杜林被迫进一步说明资本主义对劳动的剥削时,他最先把这一剥削笼统地说成是以课税和加价为基础,在这里他完全剽窃了蒲鲁东的预征税的观点,以后又用马克思关于剩余劳动、剩余产品和剩余价值的理论来具体地解释这种剥削。杜林在哲学上骂黑格尔的同时又不断剽窃黑格尔的思想并把它庸俗化。同样,恩格斯指出,杜林在《批判史》上对马克思的毁谤,也只是为了遮掩其《哲学教程》中关于资本和劳动的一切稍微合理的东西,是对马克思的庸俗化了的剽窃这一事实。在《哲学教程》中,杜林把"大土地占有者"放在文明民族的历史的开端,而对于真正是全部历史出发点的氏族公社和农村公社的土地公有制则一无所知。这种无知又被《批判史》中以"历史眼光的广博远大"自诩的无知所超越。因此恩格斯最终对杜林的一句话评价是:"最初为自我吹嘘、大吹大擂、许下一个胜似一个的诺言付出了巨大的'耗费',而后来的'成果'却等于零。"①

(三)社会主义

1.历史

在这一部分,恩格斯对空想社会主义者的先驱,圣西门、傅立叶和欧文的理论进行了客观的评价,并肯定了三人理论的合理性和进步性。同时,恩格斯也指出了杜林对这三人理论的曲解和误读。恩格斯指出,尽管杜林先生好像真有圣西门的几部著作在手边,却像以前寻找魁奈的经济表"对魁奈本人具有什么意义"一样,白费力气。恩格斯指出,在傅立叶的著作中,杜林先生只知道并且只注意那些描绘得像小说情节一样的关于未来的幻想,忽略了傅立叶对贫穷和现代性的批判。同样,杜林也并不知道欧文的最重要的著作,即关于婚姻和共产主义制度的著作。如果杜林看过欧文的《新道德世界书》,那么他就可以看到,这本书不仅主张实行有平等的劳动义务和平等的取得产品的权利的最明确的共产主义,而且还提出了为未来共产主义公社所

---

① 《马克思恩格斯文集》第9卷,人民出版社2009年版,第271页。

做的带有平面图、正面图和鸟瞰图的详尽的房屋设计。

在批判杜林的基础上，恩格斯进一步强调了科学社会主义与空想社会主义的不同。恩格斯指出，"空想主义者之所以是空想主义者，正是因为在资本主义生产还很不发达的时代，他们只能是这样。他们不得不从头脑中构想出新社会的要素，因为这些要素在旧社会本身中还没有普遍地明显地表现出来；他们只能求助于理性来构想自己的新建筑的基本特征，因为他们还不能求助于同时代的历史……大工业已经把潜伏在资本主义生产方式中的矛盾发展为如此明显的对立，以致这种生产方式的日益迫近的崩溃可说是用手就可以触摸到了；只有采用同生产力的现在的发展程度相适应的新的生产方式，新的生产力本身才能保存并进一步发展；由以往的生产方式所造成的并在日益尖锐的对立中不断再生产的两个阶级之间的斗争，遍及一切文明国家并且日益剧烈；而且人们也已经了解这种历史的联系，了解由于这种联系而成为必然的社会改造的条件，了解同样由这种联系所决定的这种改造的基本特征"①。

因此,恩格斯进一步对杜林的观点做出了最终评价,"如果说杜林先生现在不是根据现有的经济材料,而是从自己至上的脑袋中硬造出一种新的空想的社会制度,那么,他就不仅仅是在从事简单的'社会炼金术'了。他的行为倒像是这样一种人,这种人在现代化学的各种规律被发现和确立以后,还想恢复旧的炼金术,并想利用原子量、分子式、原子价、晶体学、光谱分析,其唯一的目的是要发现——哲人之石"。

2.理论

在这一章节,恩格斯并没有直接对杜林的观点进行逐一反驳,而是通过阐述科学社会主义的科学内涵来驳斥杜林的抽象的社会主义理论。恩格斯在这一章节的开篇提出了著名的论断:"一切社会变迁和政治变革的终极原因,不应当到人们的头脑中,到人们对永恒的真理和正义的日益增进的认识中去寻找,而应当到生产方式和交换方式的变更中去寻找;不应当到有关时代的哲学中去寻找,而应

---

① 《马克思恩格斯文集》第9卷,人民出版社2009年版,第282页。

当到有关时代的经济中去寻找。"①

恩格斯指出,现存的社会制度是由现在的统治阶级即资产阶级创立的。资本主义生产方式同封建制度的地方特权、等级特权以及相互的人身束缚不相容,摧毁了封建制度,并且在它的废墟上建立了资产阶级的社会制度,并得以自由发展。自从蒸汽和新的工具机把旧的工场手工业变成大工业以后,在资产阶级领导下造成的生产力,以前所未闻的速度和规模发展起来。但是,正如从前工场手工业以及在它影响下进一步发展了的手工业同封建的行会桎梏发生冲突一样,大工业得到比较充分的发展时就同资本主义生产方式对它的种种限制也发生冲突了。新的生产力已经超过了这种生产力的资产阶级利用形式。这种冲突是客观存在的,并且不依赖于人的意志或行动而存在。现代社会主义不过是这种实际冲突在思想上的反映,是它在头脑中,首先是在那个直接吃到它的苦头的阶级即工人阶级的头脑中观念上的反映。

恩格斯进一步分析了这一冲突的具体表现。恩

---

① 《马克思恩格斯文集》第9卷,人民出版社2009年版,第284页。

格斯指出，正如马克思所言，资产阶级要是不把这些有限的生产资料从个人的生产资料变为社会化的生产资料，就不能把它们变成强大的生产力。在协作形式的发展过程中，它从整个社会中占支配地位的自发的无计划的分工中逐步确立了在个别工厂里的有组织的有计划的分工；并且出现了社会化生产。在社会化生产中，劳动资料的占有者虽然继续占有产品，但是产品已经完全是别人的劳动产品。按照社会化生产方式生产的产品，真正的归属者是资本家。社会化生产和资本主义私人占有的形式之间的不相容性日渐表现得更加明显，这就是现代一切矛盾的萌芽。恩格斯指出，"社会化生产和资本主义占有之间的矛盾表现为无产阶级和资产阶级的对立"[1]。

恩格斯指出，每个以商品生产为基础的社会都有一个特点：这里的生产者丧失了对他们自己的社会关系的控制。恩格斯指出，每个以商品生产为基础的社会都有一个特点，生产者丧失了对他们自己的社会关系的控制。随着资本主义生产方式的

---

[1] 《马克思恩格斯文集》第9卷，人民出版社2009年版，第288页。

出现，以前所潜伏的商品生产规律也越来越公开并开始发挥作用，社会生产的无政府状态开始走向极端。动物的自然状态表现为人类发展的顶点，社会化生产和资本主义占有之间的矛盾表现为个别工厂中生产的组织性和整个社会中生产的无政府状态之间的对立。

恩格斯随后论述了历史上的几次危机，并指出这种危机中，社会化生产和资本主义占有之间的矛盾剧烈爆发，经济的冲突达到了顶点，这就是生产方式起来反对交换方式，生产力起来反对已经被它超过的生产方式。危机暴露了资产阶级没有能力继续驾驭现代生产力，无论是股份公司的转变还是向国家财产的转变，都没有消除生产力的资本属性。生产力归国家所有也并没有解决冲突，只是在事实上承认了现代生产力的社会本性，因此，就是使生产、占有和交换方式同生产资料的社会性质相适应。而实现这点，只有由社会公开地和直接地占有已经发展到除适用于社会管理之外不适合于其他任何管理的生产力才能成功。

3. 生产

在杜林看来，社会主义的终极真理是"社会的自然体系",并且根植于"普遍的公平原则"中。恩格斯批判杜林社会主义的基础不过是"两个傀儡上演了一出表现权利平等的戏"。在杜林看来,周期性的工业危机并不具备特别特殊的意义,杜林仅仅是告诉我们危机是"过度紧张和松弛之间的一场寻常的游戏"[①]。至于杜林所认为的"普遍的公平的原则",只不过是一个虚构的"公共所有制"。在杜林看来,某一经济公社对自己劳动资料的公共的权利,对其他公社或者社会、国家来说是排他性的。因此,将出现富裕的和贫穷的公社。它们之间的平衡是通过居民脱离贫穷的公社挤入富裕的公社的方法来实现的。因此,恩格斯指出,"杜林虽然想通过全国性的商业组织来消除各个公社之间在产品上的竞争,但是他却听任生产者方面的竞争安然存在下去"[②]。杜林认为,"公共的权利"意味着每个经济公社既是个人又是社会所有制,这一个模糊的概念。杜林的"共同社会"中,认为第一次社会大分工是城市与乡村的分离。杜林认为到目前为止,错误的分工占主要地位,但是这种错误表现在哪里、

[①]《马克思恩格斯文集》第9卷,人民出版社2009年版,第304页。
[②]《马克思恩格斯文集》第9卷,人民出版社2009年版,第305页。

将被什么替代他只是进行了粗浅的回应。杜林认为，能力、爱好是分工的因素，但是这样也将引起竞争。恩格斯指出，空想社会主义者已经充分了解了分工造成的结果，一方面造成工人的畸形发展，另一方面劳动活动本身也畸形发展。

恩格斯指出，无论如何，经济公社是为了生产来支配自己的劳动资料，而杜林的论述中这种生产仍然按照从前的样式进行，只是公社代替了资本家而已。到目前为止一切生产的基本形式是分工，一方面是社会内部的分工，另一方面是单个生产机构的内部分工。恩格斯指出，欧文与傅立叶都对此进行了说明，并且他们也已经超出了杜林对分工的理解，像杜林这种认为城乡对立不可避免的思维方式，不过是剥削阶级的思维方式。

在对杜林所认为坚不可破的城乡对立观点进行批判之后，恩格斯进一步论述了消灭旧分工与消灭与之相随的恶性循环的问题。恩格斯强调，只有消灭现代工业的资本主义性质才有可能实现。恩格斯指出，对这一问题的理解必须从大工业的历史中、从其目前的现实状况中去寻找，这样才不会把科学社会主义浅薄化。

4. 分配

恩格斯指出，杜林的经济学最终归结的一个命题是："资本主义的生产方式很好，可以继续存在，但是资本主义的分配方式很坏，一定得消失。"[①] 杜林对资本主义社会的生产方式几乎没有提出异议，因此他对经济公社内部的生产无法进行描述。在杜林看来，生产和分配是没有联系的，分配不是由生产来决定的，而是由纯粹的意志行为来决定。因此，杜林创造了著名的"绝对价值"，并创造了"普遍的公平原则"。

杜林认为"普遍的公平原则"并不是粗陋的平均主义，但恩格斯却发现了杜林所构建的经济公社所存在的问题。通过考察杜林经济公社所管辖的领域内保存金属货币的事件影响，恩格斯发现，在这一领域外，罪恶世界仍然一切照旧。在世界市场上，金银仍然是世界货币、一般的购买手段和支付手段、财富的绝对的社会体现。恩格斯看到了杜林的经济公社中所存在迷误和混乱，并分析了这种迷误所产生的原因。

---

① 《马克思恩格斯文集》第9卷，人民出版社2009年版，第315页。

恩格斯指出，这是由于首先在杜林头脑中价值和货币的概念就是模糊的，而杜林所发现的劳动的价值建立在这种模糊概念的基础上，并且这种情况的理论并不仅仅是杜林一个人。恩格斯进一步解释道：经济学中唯一的价值就是商品的价值。而商品是在互相分离的私人生产者的社会中所生产的产品，是一种私人产品。这种产品有两种特性：首先，商品都满足人的某种需要，对别人具有使用价值；其次，商品虽然是各种极不相同的私人劳动的产品，但也是一般人类劳动的产品。因为对其他人具有使用价值而可以进行交换，这是由于，商品中包含着一般的人类劳动。在同样社会条件下，两个相同的私人产品可能包含不等量的私人劳动，却包含着等量的一般人类劳动。这样，当我们认为一个商品具有一定价值时，实际上是说，这是一个对社会有用的产品；它是由私人为了私人目的而生产的；虽然是私人劳动产品但具备社会劳动；通过另一物品表现其价值量。

恩格斯强调，价值概念中不仅包含了货币的萌芽，还包含了商品生产和商品交换的进一步发展形式的萌芽。如果生产商品的社会把商品本身所固有的价值形式进一步发展为货币形式,那么隐藏在价值中的各种萌芽就将得以显露。其中,恩格斯认为最先和最重要的结果是,商品形式的普遍化。最终发展的结果是,货币始终是对共同体发生作用的最有力的手段。如果杜林的经济公社能够实现,货币也必将以同样的自然必然性,不顾一切法律与行政规范而致使其接替。

最终,恩格斯指出,杜林和蒲鲁东一样,将商品遵循等价交换的规律提升为经济公社的基本规律,并要求公社完全自觉实现这一规律,这样他就使得现存社会的基本规律成为他幻想社会的基本规律。恩格斯认为,杜林和蒲鲁东一样,想消除由商品生产向资本主义生产发展而产生的弊病。但是他们二人却都企图利用商品生产的基本规律去反对这些弊病,却不知这些弊病正是商品生产规律的结果。这就导致杜林与蒲鲁东一样"以幻想的结果来消灭价值规律的现实结果"①。

5. 国家、家庭、教育

恩格斯在这一章节批判了杜林关于未来国家制

---

① 《马克思恩格斯文集》第9卷,人民出版社2009年版,第330页。

度、家庭、教育相关的内容。恩格斯指出，杜林《哲学教程》中对未来的国家制度进行了详细规定，这些规定虽然借鉴了卢梭的思想但是却把卢梭的东西最大限度进行了稀释，并且用同样的方式调制成了黑格尔法哲学的废弃物。恩格斯指出，"个人的主权"构成了杜林未来国家的基础，这种"个人的主权"在多数人的统治下不应当被压制而应当真正达到全盛状态。在杜林构建的未来社会中，因为每个社会成员都克服了幼稚的原始想象因而不可能有任何膜拜，因此真正的共同社会体系中必须除去宗教以及膜拜的一切组成部分。

恩格斯指出，杜林对宗教的看法仍然是浅薄的，他没有认识到宗教的自然死亡的客观原因，不能把握人的异己的力量是如何消失的，而是将宗教当作一种应当被主动消亡的东西。杜林曾经设想，不必改造生产本身，人们就能以社会生产方式去代替资本主义生产方式，而在国家问题上，杜林想象，人们可以把现代的资产阶级家庭同他的整个经济基础分隔开来，而不会由此改变家庭的全部形式。

关于教育恩格斯指出，杜林在终极的共同社会中认为应当进行何种教育的论断中也存在一些常识性的错误。至于美学、文学等杜林进行的规定也相当具有局限性。恩格斯总结道，杜林所设想的未来的国民学校，实际上不过是稍微"完美"一些的普鲁士中等学校。最后，杜林关于婚姻与爱情的论述仍然没能摆脱其固有的局限性，缺乏深入的历史逻辑的论断。因此，在文章末尾，恩格斯对杜林的批判总结为了一句话："无责任能力来自自大狂。"[①]

三、研究范式

国内外学界对《反杜林论》的研究范式主要有三种：苏联范式（即传统的教科书式的理解范式）；西方范式（主要集中在质疑恩格斯对辩证法的理解、质疑马克思和恩格斯的关系、质疑文本中存在着人学空场）；中国范式（反思和冲破苏联范式的拘囿并系统研究马克思主义整体性）。

（一）苏联范式：传统的教科书式的理解范式

苏联学者倾向于从《反杜林论》的三大部分即哲学、马克思主义政治经济学和科学社会主义来理解马克思主义，并形成了后来的以"三分法"解读

[①] 《马克思恩格斯文集》第9卷，人民出版社2009年版，第343页。

马克思主义的模式,这也是马克思主义大众化传播的经典范式。

列宁对《反杜林论》做了经典阐述。一方面,他在《弗里德里希·恩格斯》中高度评价了这部著作,认为:反对杜林的论战性著作(它分析了哲学、自然科学和社会科学中最重大的问题)是一部内容十分丰富、十分有益的书。[①]另一方面,他的这种阐释也成为解读马克思主义的经典范式。1913年3月,为纪念马克思逝世30周年,列宁写就了《马克思主义的三个来源和三个组成部分》,从哲学、政治经济学和科学社会主义三个部分阐述了马克思主义的基本理论,这篇文章为推动马克思主义大众化起到非常积极的作用,但往往也被后人诟病为"马克思主义不具有整体性"的证据,被误认为开启了以"三分法"肢解马克思主义的源头。

但其实,列宁的解读是为了详细阐明马克思主义的具体内容,并不否定马克思主义的整体性。苏联学者维戈德斯基就认识到了这一点,认为《反杜林论》揭示出马克思主义三个组成部分的统一性和

---

① 《列宁专题文集·论马克思主义》,人民出版社2009年版,第58页。

相互作用的必要性,就在于与企图把这三个部分相互对立起来的敌人做斗争,在于保持马克思主义的整体性。在维戈德斯基看来,《反杜林论》论述的马克思主义存在着统一性及将这个统一性表现出来的"两个具体化",他指出,"这种统一性就表现在辩证唯物主义历史观是马克思主义政治经济学的方法论即哲学的基础,而马克思主义政治经济学本身又是对科学共产主义理论的经济学上的论证"[1],为了表现这种统一性,必须进行具体化,"首先,把唯物主义辩证法具体化,把它作为政治经济学方法加以阐释;其次,把经济学理论本身具体化,把由它得出的那些结论表述出来,而这些结论的总和就是对科学共产主义理论的经济学上的论证"[2]。

可以说,将马克思主义视为辩证唯物主义与历史唯物主义、政治经济学及科学社会主义三个有机组成部分的统一体,对于普通大众理解马克思主义具有正面的传播效应,但在客观上也往往使人们误

---

[1] 中国社会科学院马列所编:《马恩列斯研究资料汇编》第1集,中国社会科学院马列所编辑出版部1984年版,第133页。
[2] 中国社会科学院马列所编:《马恩列斯研究资料汇编》第1集,中国社会科学院马列所编辑出版部1984年版,第133—134页。

认为马克思主义仅由这三部分组成，从而在一定程度上肢解了作为一个完整严密的马克思主义的思想体系，这也为后来苏联领导人和一些中国学者机械化、教条化地理解马克思主义埋下了种子。

（二）西方范式：对《反杜林论》的三重质疑

《反杜林论》是西方马克思学者质疑马克思主义理论体系的关键文本，主要体现在三个方面：一是质疑恩格斯对辩证法的理解，二是质疑马克思和恩格斯的关系，三是质疑文本中存在着人学空场。

1.质疑恩格斯对辩证法的理解

西方马克思主义学者质疑恩格斯在《反杜林论》中对辩证法的理解，认为恩格斯具有自然本体论倾向，并否定了恩格斯的自然辩证法。这种质疑始于卢卡奇，他认为恩格斯的辩证法"对最根本的相互作用，即历史过程中的主体和客体之间的辩证关系连提都没有提到，更不要说把它置于与它相称的方法论的中心地位了。然而没有这一因素，辩证法就不再是革命的方法"[①]。这种观点对后世的影响也无法抹去：马尔库塞将苏联马克思主义辩证法归结为

---

① ［匈］卢卡奇：《历史与阶级意识——关于马克思主义辩证法的研究》，杜智章等译，商务印书馆1999年版，第50页。

对恩格斯辩证法的继承；萨特指出，自然辩证法是恩格斯强加给自然界的，恩格斯错在把历史的辩证法推广到自然界，使辩证法变成抽象的教条。① 实际上，他们曲解了恩格斯的意思，恩格斯强调的是在自然界抑或人类社会，或是人的思维都遵循着辩证法的共同规律，"自然观的这种变革只能随着研究工作提供相应的实证的认识材料而实现，而在这期间一些在历史观上引起决定性转变的历史事实却老早就发生了"②。这表明在恩格斯看来，自然与历史只是证明唯物主义辩证法的材料，他并未将自然与历史割裂为独立的两个部分，也就不存在自然本体论。

2.质疑马克思和恩格斯的关系

西方马克思主义学者以《反杜林论》为文本依据，得出了"马克思恩格斯对立论"。20世纪60年代，以利希特海姆的《马克思主义：历史和批判研究》为标志，"对立论"开始在西方思想界真正大范围地流行起来，因此实际上是"西方马克思主义

---

① 乐燕平：《〈反杜林论〉与西方"马克思学"》，载《社会科学辑刊》1991年第1期。
② 《马克思恩格斯文集》第9卷，人民出版社2009年版，第28页。

者"制造了马克思和恩格斯对立的思潮。流亡英国的波兰哲学家科拉科夫斯基和美国学者诺曼·莱文把马克思和恩格斯的对立加以系统化。科拉科夫斯基在其三卷本著作《马克思主义的主流》中,大篇幅谈论马克思和恩格斯之间的根本分歧,并概括为四个方面:一是人类中心论和自然主义进化论的分歧,二是实践的认识论和知识的技术观的分歧,三是哲学同生活融为一体论和"哲学没落"观的分歧,四是革命末世论和无限进步论的分歧。莱文在他的《可悲的骗局:马克思反对恩格斯》一书中,也极力制造马克思和恩格斯的种种对立,企图证明马克思和恩格斯在哲学观、自然观、历史观以及关于共产主义信仰等问题上的"全面对立"[1]。他们还肆意歪曲和攻击《反杜林论》,断言其中的基本观点背离了马克思的思想。此外,悉尼·胡克在其《理性、社会神话和民主》中也以整章整节的篇幅对《反杜林论》中唯物辩证法、唯物史观和科学社会主义进行歪曲和误解。在"对立论"者看来,是恩格斯而非马克思的著作成为辩证唯物主义学说

---

[1] 朱传棨:《恩格斯哲学思想研究论稿》,人民出版社2012年版,第383—384页。

的来源，因为作为连贯体系的马克思主义诞生于自马克思逝世到恩格斯逝世的 12 年间（1883—1895 年）①。事实上，根据恩格斯在《反杜林论》中序言的表述，恰可以判断马克思和恩格斯的观点在根本上是一致的，恩格斯指出："本书所阐述的世界观，绝大部分都是由马克思确立和阐发的，而只有极小的部分是属于我的，所以，我的这种阐述不可能在他不了解的情况下进行，这在我们之间是不言而喻的。在付印之前，我曾把全部原稿念给他听，而且经济学那一编的第十章（《〈批判史〉论述》）就是马克思写的，只是由于外部的原因，我才不得不很遗憾地把它稍加缩短。在各种专业上互相帮助，这早就成了我们的习惯。"② 而且，连持"对立论"的学者卡弗也分析指出："《反杜林论》在 1877 年至 1878 年间以连载的形式出版，而且还以三本小册子和一部著作的形式出版过，马克思应该容易读到"，"如果马克思发现自己在《反杜林论》中最重要的内容与恩格斯存在着严重分歧，他为何不声明与

---

① 鲁克俭：《国外马克思学研究的热点问题》，中央编译出版社 2006 年版，第 46—47 页。
② 《马克思恩格斯文集》第 9 卷，人民出版社 2009 年版，第 11 页。

《反杜林论》无关呢?"① 亨利也认为:"马克思和恩格斯的合作极其广泛,这是任何不带偏见的研究者都无法忽略的。当然这并不是说任何著作都可以看作他们两人的共同著作。……但可以肯定地说,马克思和恩格斯之间存在着密切的学术伙伴关系。马克思不是一个轻易容忍与自己观点稍有不同的人。对照反复发生的马克思与以前的朋友如鲍威尔、魏特林、维利希、蒲鲁东、卢格和巴枯宁等人从关系密切到最后决裂的例子,马克思与恩格斯保持如此长久的和谐关系本身就表明了他们在学术上是根本一致的。"②

3. 质疑文本中存在着人学空场

西方马克思主义学者还认为恩格斯在《反杜林论》中存在着一种科学主义抑或实证主义的倾向,存在着"人学的空场",把恩格斯对唯物史观的阐述概括为技术—经济决定论或知识反映论。莱文认为,恩格斯所理解的生产力只是将具体形态的物质

---

① [美]特雷尔·卡弗:《马克思与恩格斯:学术思想关系》,姜海波等译,人民出版社2008年版,第119页。
② 鲁克俭:《国外马克思学研究的热点问题》,中央编译出版社2006年版,第62页。

诸如机器、人口、货币等囊括在内，而却将社会关系排除在外，"恩格斯的历史主体是自然界、技术力量或经济力量，他的历史思辨是没有人类实践概念的历史思辨"①。麦克莱伦也认为："《反杜林论》代表了马克思主义思想的倒退。……恩格斯给我们一种粗俗的唯物主义，他严重地受到19世纪后期科学主义的影响。他彻底消解了所有黑格尔的影响，并基于一种非常简单的知识的反映论。"②事实上，恩格斯指出："一切社会变迁和政治变革的终极原因，不应到人们的头脑中，到人们对永恒的真理和正义的日益增进的认识中去寻找，而应到生产方式和交换方式的变更中去寻找；不应当到有关时代的哲学中去寻找，而应当到有关时代的经济中去寻找。"③可见，他是将社会历史变革的根本动因归结于社会生产方式的变革，而这种生产方式不仅包括物质的硬力量，还包括物质的软力量即客观存在的社会关系，不能以此为把柄指责恩格斯的思想就

---

① 叶卫平：《西方"马克思学"研究》，北京出版社1995年版，第126页。
② ［英］戴维·麦克莱伦、臧峰宇：《马克思政治哲学与英国马克思主义传统》，载《北京行政学院学报》2014年第1期。
③ 《马克思恩格斯文集》第9卷，人民出版社2009年版，第284页。

只是简单的经济决定论。

（三）中国范式：反思和冲破苏联范式的拘囿

苏联范式对我国马克思主义的研究影响极大，也体现在国内学界对《反杜林论》的研究范式上，但随着时间的推移和国内学术界的不断发展，我国理论界开始反思和冲破苏联范式的局限，逐渐摒弃"三分法"解读马克思主义的做法，达到了对马克思主义整体性的系统研究状态，主要体现在时间的演变历程和内涵的扩展维度这两个方面。就时间演变历程上来看，改革开放以前，国内学界对《反杜林论》的研究主要是解读性、普及性的工作，这种研究方式承袭了苏联"三分法"范式；而在改革开放之后，国内学者开始反思这种研究范式，提出了内容上马克思主义基本原理整体性的研究路向。就内涵扩展维度上来看，由最初的内容上的马克思主义基本原理的整体性，延伸到了对于马克思主义哲学体系与方法的探讨及关于辩证、历史或实践的唯物主义对马克思主义命名的争论。在这里，主要呈现的是国内学界较为认同的内容上的马克思主义基本原理的整体性，而对学界有关马克思主义哲学体系与方法的争论及关于辩证、历史或实践的唯物主义命名的争论将在综述的"焦点问题"中呈现。

改革开放前,国内学界对《反杜林论》的研究仍然沿用苏联范式。据不完全统计,1949年至1977年全国各单位编辑出版的《反杜林论》辅导读物有200余套,但大都主张三分地解读马克思主义。如北京大学哲学系1972年编撰的《学习〈反杜林论〉参考资料》中就认为,《反杜林论》"第一次全面地论述了马克思主义的三个组成部分——哲学、政治经济学、科学社会主义的基本原理,并进一步阐明和发展了马克思主义理论"[1]。这是特定历史时期的解读教材,但不难看出这种解读与传播模式并没有摆脱苏联范式的束缚,形成了一种较为固定的传统教科书式的理解范式。改革开放以来,伴随着思想的大解放,中国哲学社会科学迎来了一个迅猛发展的时期,马克思主义领域的研究也进入了崭新的阶段。而《反杜林论》作为马克思主义的重要著作,其研究也进入了新的境界。这主要表现在开始强调马克思主义基本原理是不能肢解的艺术的整体,尽管论证整体性的落脚点有所差异。

---

[1] 北京大学哲学系编:《学习〈反杜林论〉参考资料(讨论稿)》,郑州大学出版社1972年版,第4—5页。

1. 从核心主题论证马克思主义基本原理的整体性

北京大学孙熙国教授认为马克思主义是关于无产阶级和人类解放的科学,因此,实现以无产阶级为代表的劳动者的自由、发展和解放是马克思理论研究的主题和"始终如一"的目标,也是马克思主义基本原理的一以贯之之道,这确立了马克思主义基本原理的学科对象和整体架构,其基本内容就是恩格斯所说的让劳动者成为"自然界的主人"、"自己的社会结合的主人"和"自身的主人——自由的人",从而实现人的经济、政治和精神三个解放,即实现人的自由而全面的发展。① 周彦霞等赞同孙熙国教授的这一看法,认为应该看到人的解放思想与马克思主义的整体性之间的内在关联,人的解放是贯穿马克思主义整个思想理论体系的一根红线。②

2. 从方法视角论证马克思主义基本原理的整体性

这种观点认为马克思主义基本原理的整体性体现在其科学世界观与方法论的统一上。黄楠森先

---

① 孙熙国:《马克思主义基本原理的学科对象与整体架构》,载《马克思主义研究》2012年第2期。
② 周彦霞:《论马克思人的解放思想与马克思主义整体性》,东北大学出版社2017年版,第10页。

生①、施德福先生②指出，恩格斯在《反杜林论》中分别系统地论述了马克思主义的三个组成部分——哲学、政治经济学和科学社会主义的基本原理，揭示了它们之间的"内在联系"，阐明辩证唯物主义和历史唯物主义是唯一科学的世界观和方法论，是马克思主义政治经济学和科学社会主义的理论基础。吕世荣也认为，《反杜林论》这部著作通篇贯穿了唯物辩证法和唯物史观的科学世界观和方法论。③ 朱传棨认为这种整体性体现在以历史唯物主义为中心的马克思主义的变革④。罗定红、丁叶来指出《反杜林论》实现了哲学、政治经济学和科学社会主义的有机统一，而且这三部分在方法论上的辩证统一，构成了一个严谨而完整的科学体系。⑤

---

① 黄楠森等编：《马克思主义哲学史》(修订本)第3卷，北京出版社2005年版，第205—210页。
② 全国《反杜林论》研究会编：《〈反杜林论〉研究文集》，黑龙江出版社1984年版，第53—54页。
③ 吕世荣：《〈反杜林论〉与马克思主义哲学基础理论研究》，贵州人民出版社2014年版，第40页。
④ 朱传棨：《恩格斯哲学思想研究论稿》，人民出版社2012年版，第164页。
⑤ 罗定红、丁叶来：《〈反杜林论〉中的哲学问题》，中国人民大学出版社1985年版，第24页。

3. 从逻辑视角论证马克思主义基本原理的整体性

盛国荣从探究马克思主义理论展开的逻辑视角和马克思主义基本原理的理论主题出发,认为消灭资本主义私有制是马克思主义理论的核心基点,围绕这个基点,马克思恩格斯构建起了整个马克思主义理论体系的宏伟轮廓。其中,哲学为无产阶级消灭私有制提供了理论论证和思想指导,政治经济学提供了事实论证和历史必然性,科学社会主义则为无产阶级指明了消灭资本主义私有制之后的未来走向和社会模式。这样构建起来的马克思主义才是一个完整的整体、一个逻辑上严密自洽的整体,《反杜林论》也不例外。马克思主义正是围绕着"消灭私有制"这一核心观点展开,构建了"犹如一整块钢铁"的马克思主义理论体系,在此意义上,可以说只有抓住"消灭私有制"这一核心,才能从逻辑角度把纷繁复杂的马克思主义理论体系紧密地联系在一起,揭示马克思主义整体性的本貌,才能真正理解和把握马克思主义的实质。[①]

---

① 盛国荣:《消灭私有制:马克思主义理论体系的核心主题——一种马克思主义整体性研究的视角》,载《马克思主义研究》2017年第1期。

4.从科学社会主义层面论证马克思主义基本原理的整体性

罗郁聪、苏振富认为科学社会主义是马克思主义基本原理的核心和纲领:哲学是马克思主义全部学说的理论基础,特别是唯物辩证法和历史唯物主义,是无产阶级认识和改造世界的科学世界观和方法论;而以剩余价值学说为基础的政治经济学,是马克思主义学说的主要内容,是全面、深刻地论证马克思主义学说的现实根据;以哲学和政治经济学为理论基础而形成的科学社会主义,则是全部马克思主义学说的核心和纲领,它体现着无产阶级的美好理想和马克思主义理论的全部目的。①

总之,由于《反杜林论》从哲学、政治经济学和社会主义三部分对杜林的折中主义哲学、庸俗经济学和小资产阶级的空想社会主义理论进行了全面批判,被一些人误认为"三分"看待或碎片化解读马克思主义基本原理的"典范"。实际上,恩格斯虽然从这三个方面进行批判,但从全书看,恰恰是这些看似独立的部分,构成了一个内容紧密相连、

---

① 罗郁聪、苏振富:《〈反杜林论〉研究》,山东人民出版社1990年版,第42页。

逻辑严谨的理论整体。诚如恩格斯所言,"对象本身的性质迫使批判不得不详尽,这样的详尽是同这一对象的学术内容即同杜林著作的学术内容极不相称的。但是,批判之所以这样详尽,还可以归因于另外两种情况。一方面,这样做使我在这本书所涉及到的很不相同的领域中,有可能正面阐发我对这些在现时具有较为普遍的科学意义或实践意义的争论问题的见解……另一方面'创造体系的'杜林先生在当代德国并不是个别的现象。"概言之,虽然由于批判对象的性质,恩格斯从三个方面分别进行了论述,但并不能由此将马克思主义肢解为三个部分加以独立研究,而应将其视为一个整体,真正领会马克思主义的"总脉"、核心意蕴和根本精神。

四、焦点问题

作为马克思主义发展史上的一部重要著作,学界对《反杜林论》的研究成果很多、研究争议也很大,其焦点问题主要体现在:本体论之争、整体性之辩、辩证法之疑和阐发"七观"等方面。

(一)本体论之争

恩格斯在《反杜林论》中批判了杜林的"世界

统一于存在"的命题，科学论证了"世界的真正统一性在于它的物质性"，即提出"物质本体论"，然而，学界对本体论的认识并没有到此为止，而是呈现出激烈的争论局面。主要有物质本体论、实践本体论、"物质—实践"的二元本体论和存在本体论四种观点。

1. 物质本体论

物质本体论坚持世界的统一性在于它的物质性，认为物质是人们思想和行动的客观前提，存在对于思维、自然界对于人的精神具有无可争议的优先地位。其理论依据就是恩格斯在《反杜林论》中的表述："世界的真正的统一性是在于它的物质性。"[1] 列宁在《唯物主义和经验批判主义》中也指出："物质是标志客观实在的哲学范畴，这种客观实在是人通过感觉感知的，它不依赖于我们的感觉而存在，为我们的感觉所复写、摄影和反映。"[2] 黄楠森先生也认为："人不能离开客观世界，而客观世界是可以离开人的。因为没有人之前，就有客观世界，有了人之后，客观世界仍然是客观的，人没

---

[1] 《马克思恩格斯选集》第9卷，人民出版社2009年版，第2页。
[2] 《列宁选集》第2卷，人民出版社1995年版，第127页。

有了,世界依然存在。"① 客观物质世界是人类世界赖以存在的前提,也是人类得以改造的对象。莫东林②、郑庆林③等也都认为马克思主义的本体论是物质本体论。

2. 实践本体论

自20世纪80年代末,"实践本体论"思潮在我国流行开来,这类观点认为马克思主义的本体论是实践。国外南斯拉夫实践派充分地诠释了"实践"的根本含义④,但其实质只不过是德国古典哲学式的唯心主义的变种而已,张守民老师指出,"实践是人的存在方式和本质活动""实践是人之为人的自身根源""实践是人的基本存在方式"等,这类命题并不是我国学者的创造,而是从南斯拉夫"实践派"的学者那里搬来的,它实质上是一种唯心主义⑤。国

---

① 黄楠森:《哲学的科学之路》,北京师范大学出版社2005年版,第42页。
② 莫东林:《物质本体论是马克思主义哲学的本体论》,载《社会科学前沿》2016年第5期。
③ 郑庆林:《是"物质本体论",还是"实践本体论"——关于马克思主义哲学实质的讨论》,载《学术界》2004年第6期。
④ 姜海波:《南斯拉夫实践派的实践哲学》,载《中国社会科学报》2016年5月26日。
⑤ 孙熙国、孙蚌珠、张守民:《马克思主义基本原理前沿问题研究》,安徽人民出版社2015年版,第199页。

内一些极端唯实践主义者也信奉"实践"远远高于"物质",主张将实践上升为本体论的高度①,其实质上是以人化自然来否定纯粹自然、将人的活动和能力的一部分(即实践)扩大为哲学本体,是不恰当的。

3."物质—实践"的二元本体论

这种观点认为,物质本体论和实践本体论并不矛盾,而是统一于马克思主义哲学中。如学者王国坛②、马德宝③和汤建龙④指出:当"本体"在"本原"意义上使用时,作为唯物主义哲学,在世界的本原问题上,相对于唯心主义的精神本体论,马克思主义哲学是物质本体论;当"本体"在"本质"意义上使用时,和旧唯物主义相对,作为实践的、革命的哲学,马克思主义哲学是实践本体论,即马克思的实践唯物主义既坚持了唯物主义的基本

---

① 高清海:《高清海哲学文存》第1卷,吉林人民出版社1997年版,第141页。
② 王国坛:《近30年马克思主义哲学研究的逻辑进程——从物质本体论到马克思的感性思想》,载《哲学动态》2008年第7期。
③ 马德宝:《马克思主义哲学的本体论是实践本体论》,载《求索》1997年第4期。
④ 汤建龙:《物质本体论、实践本体论及本体论思维的超越——对马克思主义哲学的一点看法》,载《江淮论坛》2002年第5期。

观点，又强调了实践的世界观意义，实现了对传统本体论思维的超越，是"物质—实践"的二元本体论。这种解释固然看到了实践在马克思主义哲学中的重要地位，但马克思主义哲学决不存在实践本体论，不能将其解释为"二元本体论"，马克思主义是物质本体论，在"物质本体论"这一前提下才科学地论证了实践的重要性。

4.存在本体论

这种观点即杜林的观点，把存在叫作唯一性，认为存在一旦被思考，就被思考为统一的东西。恩格斯对此进行了批判：一方面，杜林关于"存在"的概念模糊不清，既可作唯物主义解释，认为"存在"是物质的存在；也可作唯心主义解释，认为"存在"是精神的存在。① 实际上，杜林做了后者的解释，杜林的世界的确是从存在开始的，并且存在没有任何内在的差别，没有运动和变化。这种"存在"是真正的虚无，从"存在—虚无"才发展为变化多端的世界状态。这其实是黑格尔的粗制品，是在黑格尔范畴模式论的笼子里谈哲学。另一方面，

---

① 黄楠森主编：《马克思主义哲学史》，高等教育出版社1998年版，第110—111页。

杜林从思维的统一性推引出存在的统一性，颠倒了思维与存在的关系。恩格斯从"世界的真正统一性是在于它的物质性"①这一光辉命题深刻地说明了世界上千差万别的事物和现象，都是物质的表现形态，它们是不以人们的意志为转移的客观存在。可见存在本体论是立不住脚的。

简言之，马克思主义哲学是"物质本体论"，实践再重要，人类实践的前提也要有物质形态存在。可以说实践观点是马克思主义哲学首要的基本的观点，即实践具有极其重要的意义和作用。但不能说马克思主义哲学是实践本体论，不能把实践上升为世界的本体。

（二）整体性之辩

除"研究范式"中提到的"内容上的马克思主义基本原理的整体性"和"人物上的马克思恩格斯的学术思想关系"之外，学界还存在着关于马克思主义哲学的体系与方法的争论和关于马克思主义思想理论体系命名的争论。

---

① 《马克思恩格斯文集》第9卷，人民出版社2009年版，第47页。

1. 体系之辩：马克思主义哲学的体系与方法

马克思主义哲学"体系"与"方法"的问题是学术界讨论的热点之一。马克思主义哲学作为马克思主义的重要组成部分，究竟是一个"体系"还是"方法"？学界对此有三种不同观点。①

（1）马克思主义哲学应是且需要有一个完整的科学理论体系。这种观点认为，任何成熟的思想都是有其理论体系的。马克思主义哲学作为一种科学理论，当然是一个体系性的思想学说。黄楠森先生就是这种观点的代表人物。他认为马克思主义哲学"有一个科学体系"，但这一体系还"不够完整和严密"，所以"建立一个完整严密的科学体系是马克思主义哲学建设和发展的重要任务"②。他强调，有些学者根据恩格斯在《反杜林论》序言中讽刺当时德国"体系"盛行的做法，认为恩格斯在根本上反对建立哲学体系，是不符合恩格斯的原意及历史事实的。他认为恩格斯的"《反杜林论》就

---

① 吕世荣：《〈反杜林论〉与马克思主义哲学基础理论研究》，贵州人民出版社 2014 年版，第 180—185 页。
② 黄楠森：《建立一个完整严密的科学体系是马克思主义哲学建设和发展的重要任务》，载《社会科学战线》1999 年第 1 期。

是一个思想体系,他研究自然辩证法的目的就是要建立一个自然辩证法体系",恩格斯"反对的是那些臆想出来的昙花一现的种种体系。它们决不是科学体系"①。黄楠森先生还为马克思主义哲学设计了一个完整性和严密性的体系:辩证唯物主义世界观及这一世界观在各个领域中的具体运用,包括世界观、历史观、意识观、认识论、价值论、方法论。②同时,他认为马克思主义哲学体系不是封闭或单一的,而是随着时代发展不断完善和严密,没有一劳永逸、一成不变、绝对完美的哲学体系。③

(2)马克思主义哲学从本质上来说是科学的、革命的方法论。这类观点认为,马克思主义哲学是科学的革命的方法论。他们反对那种把视域只局限在马克思主义哲学的体系构建,而忽视了马克思主义哲学作为科学的革命的方法论之最本质的理论特质。孙伯鍨老师、张一兵老师等是这种观点的代表人物。孙伯鍨老师在1999年接受专访时曾说

---

① 黄楠森:《辩证唯物主义世界观只会被发展而不会被消解》,载《北京大学学报》(哲学社会科学版)2001年第2期。
② 黄楠森:《我的哲学思想》,载《高校理论战线》2000年第3期。
③ 黄楠森:《关于马克思主义哲学科学体系的讨论》,载《毛泽东邓小平理论研究》2010年第1期。

道:"我坚持认为,马克思主义不是体系哲学,而是融辩证法、逻辑学与认识论于一体的革命的方法论。"① 他同样反对把马克思主义哲学进行体系哲学诠释的做法,"仅仅从体系结构的完整性或逻辑的同质性来定义马克思主义哲学,是对马克思主义哲学的严重误解"②。张一兵老师则通过分析西方马克思主义者阿多诺的思想论证了马克思主义哲学的"反体系"性:"阿多诺认为,从思想的本性上看,'哲学的目标、它的开放的和不加掩盖的方面像它解释现象的自由(哲学将这种自由和被解除武装的问题结合在一起)一样是反体系的'。这算是一种界定。"③ 这即是说,马克思主义哲学从根本上讲也是反体系的。

(3)非主流观点:消解马克思主义哲学是体系或方法的争论。除了上述两种基本观点,学界还有一种非主流的观点,认为这一争论本身就具有偏向性和误导性。指出:"抽象地提出'马克思的哲学

---

①② 本刊记者:《回到马克思,厘清基本理论与基本方法——访孙伯鍨教授》,载《哲学动态》1999年第11期。
③ 张一兵:《阿多诺:真正的哲学是反体系的》,载《江海学刊》2001年第2期。

是一种体系还是一种方法'这样的问题本身,可能具有一种误导的作用,特别是对习惯于形式逻辑思维的人来说是这样:似乎是体系就不是方法,是方法就不是体系。辩证思维要求具体问题具体分析,要求放在一定的'语境'中来谈论马克思主义哲学中体系与方法的问题。"①

实际上,任何科学的理论都有其内在的逻辑结构及其各部分间的规律性联系,马克思主义哲学作为对自然界、人类社会和思维发展规律的科学认知,也具有体系性。它既是科学的革命的方法论,也是一个"内在联系"的哲学思想体系。这里关键要区别"体系哲学"与"哲学体系"间的差异。马克思主义哲学不是妄图建立终极真理的"体系哲学",也没有构建一个"体系哲学";但从科学认知学角度看,它是一个内容充实、逻辑严密的"哲学体系",并且马克思主义哲学内在的本质规定决定了这个哲学体系具有开放性和历史性。正如恩格斯在《反杜林论》序言中阐述与"杜林哲学"的论战时提醒读者不要忽略他所提出的"各个见解之间的

---

① 锦夫:《我对马克思哲学中"体系"与"方法"问题的理解》,载《江海学刊》2001年第2期。

内在联系"，其对杜林哲学"消极的批判成了积极的批判；论战转变成对马克思和我所主张的辩证方法和共产主义世界观的比较连贯的阐述，而这一阐述包括了相当多的领域"①。这种见解的"内在联系"及思想的"比较连贯"的阐述也就是其哲学观点自身的体系性。

2.名称之辨：辩证、历史或实践的唯物主义？

自20世纪80年代以来，我国理论界掀起了一股否定马克思主义哲学是"辩证唯物主义"、围剿"辩证唯物主义"的风暴，应看到，名称之辨的背后实质上是本体论的争辩或对新旧哲学不同的理解。这里可分为两类：一是实践本体论者主张采用实践唯物主义，放弃使用辩证唯物主义；二是一些学者纯粹没有搞清楚辩证唯物主义的含义，无原则地否定辩证唯物主义，也主张弃用辩证唯物主义的名称。

针对"实践本体论"派反对"辩证唯物主义"的虚妄观点，从20世纪80年代至今，我国著名的

---

① 《马克思恩格斯文集》第9卷，人民出版社2009年版，第11页。

资深学者徐崇温①、许全兴②、杨耕③、赵家祥④、陈先达⑤、杨春贵⑥、郭湛⑦、田心铭⑧等纷纷撰文强调：不要让实践唯物主义走向极端，演变成理论与实践中的"唯实践主义"。

针对没有搞懂马克思主义哲学本质而反对辩证唯物主义的人，孙熙国、张莉指出，以实践为核心的人化自然观是辩证唯物主义关于物质世界的基本观点，以实践为核心的辩证唯物的历史观是辩证唯物主义关于社会历史的基本观点，以实践为核心的

---

① 徐崇温：《实践唯物主义不是唯实践主义》，载《哲学动态》1989年第10期。
② 许全兴：《有关实践理论的若干思考》，载《中共中央党校学报》1997年第3期。
③ 杨耕：《如何讲授〈辩证唯物主义和历史唯物主义原理〉(第四版)第二章》，载《教学与研究》1997年第5期。
④ 赵家祥：《加强党的理论建设反对唯实践主义倾向》，载《中国特色社会主义研究》2004年第6期。
⑤ 陈先达：《新时期的哲学成就和马克思主义哲学教材的编写》，载《江西社会科学》2005年第1期。
⑥ 杨春贵：《论实践范畴在马克思主义哲学体系中的地位》，载《光明日报》2006年第9期。
⑦ 郭湛：《马克思主义哲学的实践批判理论》，载《哲学研究》2006年第7期。
⑧ 田心铭：《实践在世界中的位置》，载《教学与研究》2010年第1期。

能动的认识论是辩证唯物主义关于人的认识的基本观点，因此这类没有搞懂马克思主义哲学真正本质而反对"辩证唯物主义"的学者的做法，其实质就是先把马克思和恩格斯创立的辩证唯物主义哲学中的不同于旧唯物主义的合理内容偷运出去，然后宣称马克思和恩格斯所阐述的这些合理的内容是实践唯物主义而非辩证唯物主义，最后再宣布辩证唯物主义是"旧哲学的复辟"，其实是背离了马克思恩格斯辩证唯物主义世界观的本义。[①]王玉樑也撰文指出，马克思的新世界观是辩证唯物主义世界观。辩证唯物主义是彻底的唯物主义，实践唯物主义必须以辩证唯物主义为指导。[②]

那么究竟该如何命名这一新世界观呢？黄楠森先生认为，马克思主义哲学最确切的名称是辩证唯物主义，称之为辩证唯物主义和历史唯物主义也能

---

① 张莉、孙熙国：《究竟能不能用"辩证唯物主义"来命名马克思恩格斯的新唯物主义——兼论黄楠森先生所倡导和坚持的"辩证唯物主义世界观"》，载《当代世界与社会主义》2013年第1期。
② 王玉樑：《马克思主义的新世界观是辩证唯物主义的世界观》，载《学术研究》2012年第8期。

恰当地表达其主要内容。[①]孙熙国老师指出，马克思和恩格斯创立的"新唯物主义"是辩证的唯物主义，也是历史的唯物主义，还是实践的唯物主义。辩证唯物主义和历史唯物主义是一个完整的科学的世界观，而不是能分割开来的两个"主义"。之所以又把马克思主义哲学称为"辩证唯物主义和历史唯物主义"，是为了强调唯物史观在现代唯物主义中的重要地位，强调它是马克思的第一个伟大发现。"辩证的、历史的、实践的"是我们把握马克思主义哲学的三个关键词，这三者是统一的，而不是矛盾的。[②]"辩证的、历史的、实践的"确实是从不同角度对马克思主义哲学所做的系统归纳和不同命名，其本质是马克思主义哲学同时具有辩证性、历史性和实践性三个重要特征。

（三）辩证法之疑

马克思主义的辩证法与黑格尔的辩证法思想的关系，一直是国内外研究的热点问题，也是自19

[①] 黄楠森：《不能把实践唯物主义和辩证唯物主义对立起来》，载《天津社会科学》1988年第4期。
[②] 赵敦华、孙熙国主编：《中西哲学的当代研究与马克思主义哲学创新》，人民出版社2011年版，第40页。

世纪末以来就争论不休的问题。马克思主义发展史上关于这一问题的探讨,历来存在着不同的解读模式,包括以下五种类型[①]。

1. "依附论"的解读模式

重在强调马克思对黑格尔辩证法思想的依附性,认为马克思的思想是在黑格尔的拐杖的协助下向前发展的。典型学者是欧根·杜林,他认为马克思在论述资本的原始积累时借用了黑格尔的辩证法的拐杖。在杜林看来,如果马克思不依靠否定之否定,就不能证明社会革命的必然性。针对这一见解,恩格斯为马克思进行了申辩:"当马克思把这一过程称为否定的否定时,他并没有想到要以此来证明这一过程是个历史的必然的过程。相反,他在历史地证明这一过程一部分实际上已经实现,一部分还一定会实现以后,才又指出,这是一个按一定的辩证法规律完成的过程。……如果说杜林先生断定,否定的否定不得不在这里执行助产婆的职能,靠它的帮助,未来便从过去的腹中产生出来,或者他断定,马克思要求人们凭着否定的否定的信誉来确信

---

① 吕世荣:《〈反杜林论〉与马克思主义哲学基础理论研究》,贵州人民出版社2014年版,第211—214页。

土地和资本的公有（这种公有本身是杜林所说的'见诸形体的矛盾'）的必然性，那么这些论断又都是杜林先生的纯粹的捏造。"①恩格斯坚决反对杜林将马克思曲解为黑格尔主义者的做法，认为这忽视了马克思和黑格尔之间的根本性差异。

2."扬弃论"的解读模式

重在强调马克思对黑格尔的批判继承关系，认为马克思在抛弃了黑格尔的思辨唯心主义哲学体系后，继承并改造了黑格尔的辩证法。以恩格斯、普列汉诺夫和列宁为代表。恩格斯在《费尔巴哈论》一书中指出，马克思是黑格尔学派解体过程中唯一结出果实的派别。马克思一方面抛弃了黑格尔的唯心主义体系，一方面吸收了其辩证法的合理内核，并进行了唯物主义改造，这样"概念的辩证法本身就变成只是现实世界辩证运动的自觉的反映，从而黑格尔的辩证法就被倒转过来了，或者宁可说，不是用头立地而是用脚立地了"②。但这种正统解释发展到后来就演变成将马克思主义哲学视作费尔巴哈的基本内核和黑格尔的合理内核的简单对接，这无

---

① 《马克思恩格斯文集》第9卷，人民出版社2009年版，第141页。
② 《马克思恩格斯文集》第4卷，人民出版社2009年版，第298页。

疑未认识到马克思哲学革命的真正实质。

3."遗忘说"的解读模式

主要是第二国际的一批理论家们对待黑格尔辩证法的态度,即将其视作一种无足轻重的工具式方法,遗忘了它对于马克思主义的重要性。以伯恩斯坦[①]为代表的修正主义思潮,受到当时盛行的新康德主义和斯宾塞实证主义思潮的影响,在哲学上主张不可知论和主观唯心主义,并提出用庸俗进化论取代革命辩证法。他们认为,辩证法只会妨碍马克思主义者对经济与社会的纯粹科学的认识,所以号召完全清除黑格尔主义以净化马克思主义。这样辩证法成了对马克思主义来说可有可无的一种方法,马克思主义也蜕变成与革命实践无涉的实证科学,更进一步导致了历史观上的决定论和宿命论倾向。可见,第二国际实证主义的马克思主义研究者们既未看到马克思与黑格尔辩证法的本质区别,也未认识到马克思辩证法的革命批判性,并导致了理论与实践、结论与方法、事实与价值的分裂与对立。

---

① 殷叙彝编:《伯恩斯坦文选》,人民出版社2008年版,第351—374页。

4. "继承论"的解读模式

重在强调马克思思想的黑格尔渊源。持这种观点的学者们一致要求取消费尔巴哈在马克思哲学解释中的优先地位,而力图恢复马克思哲学与黑格尔哲学的直接联系。鲜明地体现在卢卡奇对黑格尔总体性范畴的强调上。他在《历史与阶级意识》中写道:"不是经济动机在历史解释中的首要地位,而是总体的观点,使马克思主义同资产阶级科学有决定性的区别。总体范畴和整体对各个部分的全面的、决定性的统治地位,是马克思取自黑格尔并独创性地改造成为一门全新科学的基础的方法的本质。"[①] 不可否认,卢卡奇高度重视黑格尔的辩证法,坚持恢复马克思主义中的黑格尔因素,对于回击第二国际庸俗马克思主义采用新康德主义和科学主义立场而抛弃马克思主义革命辩证法的错误有积极作用。但由于他没有把握住马克思与黑格尔的辩证法的根本区别,其结果不但没有从马克思主义的立场来看待黑格尔的一切有价值的因素,反而有将马克思主义黑格尔化之嫌。

---

① [匈]卢卡奇:《历史与阶级意识——关于马克思主义辩证法的研究》,杜智章等译,商务印书馆1999年版,第79页。

5. "断裂论"的解读模式

重在强调马克思与黑格尔之间存在着一条无法逾越的鸿沟，认为尽管马克思曾经是一个青年黑格尔主义者，但他的思想在1845年前后发生了根本性的转变，实现了与黑格尔的分道扬镳。以阿尔都塞为代表。阿尔都塞反对用"颠倒说"解释马克思与黑格尔的关系，否认马克思在辩证法思想上与黑格尔的传承关系，认为"马克思辩证法主要是在由马克思开垦的理论处女地上诞生的……黑格尔和马克思不是喝同一口井里的水"[①]。他坚持马克思与黑格尔之间存在着不可调和的理论区别，提出"今天，我们比任何时候都更应该看到，黑格尔的影子是最主要的幻影之一。必须进一步澄清马克思的思想，让黑格尔的影子回到茫茫的黑夜中去"[②]。很显然阿尔都塞的这种看法站不住脚，诚然马克思与黑格尔思想之间存在着根本性差异，但不能完全割裂马克思与黑格尔辩证法之间的联系，马克思曾在

---

① [法]路易·阿尔都塞：《保卫马克思》，顾良译，商务印书馆2010年版，第66页。

② [法]路易·阿尔都塞：《保卫马克思》，顾良译，商务印书馆2010年版，第106页。

《资本论》中公开承认是黑格尔的学生,高度赞扬了黑格尔"第一个全面地、有意识地叙述了辩证法的一般运动形式"①。

可见,马克思主义辩证法与黑格尔辩证法的真实思想关系往往被遮蔽在诸多阐释者的建构中,他们未认识到马克思对黑格尔辩证法的批判和改造是一个复杂的过程。其实,应以历时性线索去梳理马克思主义创始人在建构唯物辩证法过程中对黑格尔的扬弃,还原他们之间思想碰撞的真实过程,这样更有助于我们科学认识马克思主义辩证法对黑格尔辩证法的批判与超越。

(四)其他方面

学界有关《反杜林论》的研究成果丰硕,主要集中在对该著作中真理观、平等观、自由观、生态观、道德观、宗教观和正义观的详细阐发和论证。

1. 真理观

学界对《反杜林论》真理观的探讨可以用三个词概括:绝对真理、终极真理和永恒真理。如王瑞

---

① 《马克思恩格斯文集》第9卷,人民出版社2009年版,第441页。

林①、陈善等②指出：《反杜林论》意味着终极真理体系的破产。蔡灿津③也认为应批判"终极真理"，坚持真理发展的辩证观。孙熙国老师甄别了绝对真理、终极真理和永恒真理这三个概念，最后指出：终极真理既不存于现实中，也是现实的人的认识所无法企及的，它充其量不过是对人的无限前进和发展的认识及其向客观世界的无限接近做出的一种梦幻描述和逻辑假设④。孔令来探讨了"正确的感性认识能否称为真理？"这一问题，认为正确的感性认识是真理。因为真理本性是主观与客观的相符合，只要主观与客观相符合，无论是正确的感性认识还是理性认识都是真理⑤。王宏波老师认为恩格斯在批判杜林形而上学真理观的同时，也阐明了马克思主

---

① 王瑞林：《终极真理体系的破产——学习〈反杜林论〉的一点体会》，载《山东师院学报》（社会科学版）1979年第1期。
② 陈善、刘性凤：《绝对真理是否存在？——学习〈反杜林论〉体会》，载《郑州大学学报》（哲学社会科学版）1981年第4期。
③ 蔡灿津：《批判"终极真理"论，坚持真理发展的辩证观——学习〈反杜林论〉》，载《新疆大学学报》（哲学社会科学版）1978年第2期。
④ 孙熙国：《绝对真理·终极真理·永恒真理》，载《理论学刊》1994年第6期。
⑤ 孔令来：《正确的感性认识可以称为真理——再读〈反杜林论〉和〈唯物主义和经验批判主义〉》，载《中山大学学报论丛》2007年第10期。

义真理观,包括三点内容:一是驳斥杜林形而上学真理观,阐述绝对真理和相对真理的辩证关系;二是批判杜林的"永恒真理",论述人的认识的相对性;三是批判杜林真理和谬误对立的观点,论述真理和谬误的辩证关系。①

2.平等观

学界对《反杜林论》中平等观的研究集中在:恩格斯对杜林的平等观的批判维度、平等观的基本内涵和启示意义三个方面。

一是恩格斯对杜林的平等观的批判维度。沈贺指出恩格斯在《反杜林论》中从方法和内容两个维度批判了杜林的平等观。②王宏波、郑冬芳认为,恩格斯对杜林研究平等问题的唯心主义先验论方法进行了批判,并揭露了杜林平等观的抽象实质,包括:杜林的平等观的"两个人"模型的虚假性、杜林平等观所赖以存在的"两个人"基础不过是对18

---

① 王宏波:《恩格斯的真理观与道德观——恩格斯〈反杜林论〉"道德和法·永恒真理"一章解读》,载《马克思主义理论学科研究》2017年第2期。
② 沈贺:《〈反杜林论〉中的平等思想探析》,载《思想政治教育研究》2016年第2期。

世纪观点的抄袭、杜林平等观的自相矛盾。①兆丰指出，恩格斯批判杜林唯心主义先验论的平等观体现在三个方面：首先，驳斥了杜林所谓"两个人的意志完全平等"的公理；其次，批判了杜林所谓不平等和奴役起源于暴力的谬论；最后，揭露了杜林平等观的虚伪性和反动性。②

二是《反杜林论》中平等观的基本内涵。沈贺指出，《反杜林论》的平等观包括：平等的产生是社会经济关系的反映、平等观念是历史的产物、阶级社会的平等观念具有阶级性、真正的平等只有消灭阶级才能实现。③王宏波、郑冬芳指出平等观是一个历史范畴、不平等的根源在于经济基础，而且恩格斯还阐述了无产阶级的平等观及其本质。④邓龙奎探讨了《反杜林论》平等观的理论转向，指出马克思主义平等观产生以前的旧平等观，客观上没

---

① 王宏波、郑冬芳：《〈反杜林论〉中的平等观解读》，载《思想理论教育导刊》2012年第2期。
② 兆丰：《马克思主义的平等观——读〈反杜林论〉关于平等观的论述》，载《法律科学（西北政法学院学报）》1990年第4期。
③ 沈贺：《〈反杜林论〉中的平等思想探析》，载《思想政治教育研究》2016年第2期。
④ 王宏波、郑冬芳：《〈反杜林论〉中的平等观解读》，载《思想理论教育导刊》2012年第2期。

有找到实现社会平等的现实途径。把旧平等观与恩格斯在《反杜林论》中所阐释的马克思主义平等观进行比较,从历史性、阶级性、生产力和经济关系的制约性等方面探析马克思主义平等观的理论转向,对确定研究中国社会公平正义问题的理论前提、现实基础和实现主体具有重要意义。[1] 于建星认为公平是一个历史概念,要辩证地看效率与公平的关系,公平的实现是现实的运动。[2]

三是《反杜林论》中平等观的启示意义。李纪才指出:社会主义初级阶段的平等和公平与现有经济发展程度相适应,要实现社会主义平等,对马克思恩格斯平等思想的研究与应用必不可少。[3] 高瑞泉指出只有注重实现经济平等,才能全面实现政治平等和社会地位平等。[4] 段忠桥把平等思想置于分配领域来研究,指明要关注分配公平、重视恩格斯

---

[1] 邓龙奎:《论〈反杜林论〉中平等观的理论转向及其当代价值》,载《云南行政学院学报》2013年第1期。
[2] 于建星:《应辩证地看待公平——读恩格斯的〈反杜林论〉有感》,载《求实》2010年第9期。
[3] 李纪才:《马克思主义公平观与社会主义初级阶段的公平问题》,载《中共中央党校学报》2008年第5期。
[4] 高瑞泉:《平等:和谐社会的必要价值》,载《毛泽东邓小平理论研究》2005年第3期。

的平等思想。[①]沈贺认为,《反杜林论》中的平等观具有理论和实践的双重意义。其理论意义在于:对旧平等观理论进行了根本改造、阐述了实现真正平等的理论路径、为社会主义平等观提供了理论来源;实践意义在于:要坚持用唯物史观来研究中国特色社会主义核心价值观、社会主义初级阶段要努力为实现实质平等打下基础、弘扬社会主义核心价值观要批判"普世价值"等。[②]王宏波、郑冬芳也认为,深刻领会恩格斯在分析平等问题的马克思主义的方法论思想,对于我们今天研究文化问题、价值问题具有重要的方法论指导意义:一是任何反映人类价值现象的思想命题都是历史的,不是永恒的"绝对真理";二是任何反映社会文化现象的思想命题都是有条件的,人们的文化观念根源于他们的经济基础和社会生活条件;三是不能把东、西方社会存在的一些价值现象简单地断言为"普世价值"。这样就消解了价值现象的社会历史性、条件性、阶

---

① 段忠桥:《马克思和恩格斯的公平观》,载《哲学研究》2000年第8期。
② 沈贺:《〈反杜林论〉中的平等思想探析》,载《思想政治教育研究》2016年第2期。

级性甚至民族性，在理论逻辑和实践上都极其有害。①邓龙奎总结了《反杜林论》平等观对中国特色社会主义建设的三点启示：一是应在历史唯物主义视野下研究中国社会公平正义问题；二是要把中国特色社会主义的基本经济制度和市场经济体制的具体实践作为研究中国社会公平正义问题的现实基础；三是要从现实的人及其实践出发，研究中国社会公平正义问题。②

3.自由观

学界对《反杜林论》中自由的内涵、自由和必然的关系等问题进行了深度探讨。杨飓指出，《反杜林论》中的自由思想闪烁着理性智慧的光芒，主要包括两点：一是欲达到自由境界，理性能力的充分发展不可或缺；二是以周密审慎的理性思维来思考自由的本质。③赵伟鹏指出，恩格斯批判了杜林唯心主义和机械的自由观，并肯定了黑格尔自由观

---

① 王宏波、郑冬芳：《〈反杜林论〉中的平等观解读》，载《思想理论教育导刊》2012年第2期。
② 邓龙奎：《论〈反杜林论〉中平等观的理论转向及其当代价值》，载《云南行政学院学报》2013年第1期。
③ 杨飓：《理性与自由——〈反杜林论〉自由思想学习笔记》，载《湖北师范学院学报》（哲学社会科学版）1991年第3期。

的辩证的合理因素,全面论述了马克思主义关于自由和必然辩证关系的基本观点:一是客观必然性是人的意志自由的前提;二是自由是对必然的认识和世界的改造;三是实践是必然向自由转化的基础。这是科学的辩证唯物主义自由观。[1] 黄凤久认为社会主义社会实现从必然王国向自由王国的飞跃是一个历史过程。[2] 赵兴良从三个方面论证了"努力发展社会生产、不断提高社会物质文化水平是实现自由的根本途径"这一命题。首先,他指出,自由以对自然规律的认识为前提,但自然规律既指外部自然界规律,也包括社会规律。其次,他认为自由与人们认识和运用外部自然界规律和社会规律密切联系在一起,而由于人们的实践活动是历史的具体的,因而自由也是历史的具体的。最后,他总结道:自由这一概念,从静态角度考察,是人们已达到的认识和改造世界的水平的见证,这是它的绝对性;从动态角度考察,它又是人们进一步提高认识

---

[1] 赵伟鹏:《论马克思主义的自由观——学习恩格斯〈反杜林论〉的体会》,载《河北大学学报》(哲学社会科学版)1985年第3期。
[2] 黄凤久:《社会主义社会实现从必然王国向自由王国的飞跃是一个过程——读〈反杜林论〉札记》,载《长白学刊》1985年第6期。

和改造世界水平的动力,这是它的相对性。自由的绝对性和相对性,都根源于社会物质生产水平。因此,循着"提高生产力"这条路坚定不移走下去,才能实现自由的理想境界。① 总之,自由是建立在对必然规律的把握上,不管是一个人做事、一个国家的发展还是社会主义社会向共产主义社会过渡,都要遵循客观规律,才能从心所欲而不逾矩。

4.生态观

学界对《反杜林论》生态观的研究集中在阐发恩格斯生态观的具体内容、《反杜林论》在辩证唯物主义自然观发展中的地位及生态观的当代价值等方面。耿步健认为,恩格斯在批判杜林自然观基础上阐述了辩证唯物主义自然观,并从"平等""自由和必然"两个维度阐述了人与人、人与自然的关系,阐述了实现"人与人""人与自然"两个和解的基本路径,蕴含丰富的生态集体主义思想,对于增进理解新发展理念、加深对当代中国特色社会主义根本任务的认识、增强实现中华民族伟大复兴中

---

① 赵兴良:《略论"反杜林论"中的必然和自由》,载《江西社会科学》1985年第2期。

国梦的信心具有十分重要的现实意义。①田萍阐发了《反杜林论》生态观的内容及其当代价值,指出其基本内容包括:自然界先于人类而存在,人是自然界的产物;自然界有着自身运动、变化和发展的规律;人类应当尊重自然发展规律并使之为自己服务;人类认识和利用自然的过程是一个从"必然王国"迈向"自由王国"的过程。由此,她指出《反杜林论》生态观的当代价值体现在:要坚持自然生产力是基本生产力的新生产力理念;实现尊重自然规律和人的价值的统一;打造人类生态命运共同体。②周新生就《反杜林论》与自然科学的关系发表了看法:一是如何确立辩证唯物主义自然观,他认为一定要具备数学知识,必须不断追踪现代自然科学的发展,重视对自然科学史的研究和自然科学方法论;二是坚持马克思主义哲学对自然科学的指导,他认为这是自然科学发展的客观要求,且唯物辩证法为科学研究提供了正确的思维理论和

---

① 耿步健:《生态集体主义是生态共同体的价值基础——基于〈反杜林论〉的生态文明价值观思考》,载《毛泽东邓小平理论研究》2016年第8期。
② 田萍:《〈反杜林论〉中的生态观及其当代价值》,载《人民论坛》2016年第11期。

方法。①许志峰认为《反杜林论》是辩证唯物主义自然观诞生的标志,因为仅就辩证唯物主义自然观的内容来说,《反杜林论》已经再全面、再明确不过了,包括:关于辩证唯物主义自然观的指导思想和研究方法;关于辩证唯物主义自然观的核心;关于辩证唯物主义自然观的对象和任务;关于自然界的基本演化过程;关于自然界演化的一般规律;关于自然界的基本矛盾等。据此,他认为有充分的理由说明辩证唯物主义自然观诞生的标志或代表作就是《反杜林论》哲学篇。②周新生还阐述了《反杜林论》在辩证唯物自然观发展中的历史地位,认为《反杜林论》奠定了辩证的唯物自然观的基石,确立了辩证自然观的核心及辩证法范畴的体系,概述了辩证唯物主义认识论的基本原理(包括:意识的起源与本质问题、意识的相对独立性、在实践基础上认识的辩证过程)等,正是从此开始,辩证的唯

---

① 周新生:《〈反杜林论〉与自然科学——纪念恩格斯逝世九十周年》,载《江淮论坛》1985年第4期。
② 许志峰:《辩证唯物主义自然观诞生的标志——〈反杜林论〉》,载《东北师大学报》(哲学社会科学版)1984年第2期。

物的自然观开始以系统的理论形式确立起来。[①]

5.道德观

《反杜林论》也是集中体现马克思主义道德伦理观的经典文献。恩格斯通过批判杜林，全面阐述了马克思主义关于道德的起源、本质、时代性、民族性、阶级性及平等、正义、善恶等观点，清晰呈现了马克思主义道德伦理思想的特质。李培超从四个方面概括了《反杜林论》的伦理思想：一是人类解放的现实基础和实现条件，其中"现实的个人"是思考伦理问题的出发点、人类解放是最终价值归宿；二是道德归根到底是社会经济状况的产物，道德根源于一定的社会物质生活条件、具有能动的反作用、人类道德总是不断进步的；三是平等观念是一种历史的产物；四是暴力是每一个孕育着新社会的旧社会的助产婆[②]。梅荣政老师[③]、石中英等[④]指出，恩格斯在批判杜林"永恒道

[①] 周新生：《略谈〈反杜林论〉在辩证唯物自然观发展中的历史地位》，载《安徽大学学报》（哲学社会科学版）1982年第1期。
[②] 李培超：《〈反杜林论〉的伦理思想探析》，载《吉首大学学报》（社会科学版）2010年第6期。
[③] 梅荣政：《恩格斯论道德和法的历史性及其启示——〈反杜林论〉第一编九、十、十一章研读》，载《马克思主义理论学科研究》2016年第2期。
[④] 石中英、尚致远：《〈反杜林论〉与当前的道德评价和道德教育本质问题》，载《清华大学教育研究》1998年第2期。

德论"的同时阐述了马克思主义的道德观及方法论：在思想方法上，不能就道德论道德，不能仅从一些抽象的道德原则出发，还应从现实出发来考察道德；在根本的道德观上，应树立历史唯物主义的道德观，而不是其他形形色色的道德观；社会的复杂性决定了道德问题的复杂性；"共同道德"的存在说明了道德发展的继承性。钱广荣探讨了道德论的原典精神及其当代中国传承，他首先从三个维度梳理和阐发了《反杜林论》道德论的原典精神，包括：将一切道德现象归根于一定社会生产和交换的经济关系，社会道德要求是历史的民族的范畴，提出区分伦理与道德的学理逻辑话题。其次，他分析了《反杜林论》中道德论的历史意义：拓展和深化了历史唯物主义方法论的内涵、树立了马克思主义道德理论新发展的里程碑、开启了西方道德哲学和伦理思想发展史的新纪元。最后，他认为应从三个方面来理解和把握《反杜林论》中道德论原典精神的当代传承：一是坚持运用历史唯物主义来认识和把握当代中国道德国情与道德建设；二是促使当代中国社会道德建设与培育社会主义核心价值观结伴同行；三是优化和转换伦理学的学科范式，建构中国化的马克思主义伦理学。[①] 黄学胜阐发了《反杜林论》的道德视界及当代意蕴,指出:应在思想史与现实的语境中考察《反杜林论》的道德思想,它关联到对马克思主义和科学社会主义的真正理解及其与"现代社会主义"和启蒙话语的本质区分。准确理解恩格斯对"现代社会主义"的批判及其理论成果,即历史唯物主义、辩证思维和"真正的人的道德"理想,有助于反对将马克思主义伦理主义化或去道德化,维护和论证马克思主义的当代意义。[②] 李睿从恩格斯关于道德的起源和本质的论述、恩格斯关于道德属性的认识及其道德观对当前中国社会道德评价的启示三个方面审视了《反杜林论》的科学道德观:道德的属性包括具体性、历史性,道德具有阶级性、共性、历史继承性。他还指出,当前社会转型过程中不乏社会道德失范和道德信仰危机,要坚持从人们的社会存在方式及其变迁的历史维度,探究社会转型时期道德迷惘和道德危机的问题成因,并推动人类道德的

---

① 钱广荣:《〈反杜林论〉之道德论的原典精神及当代中国传承》,载《马克思主义研究》2016年第2期。
② 黄学胜:《恩格斯的道德视界及其当代意蕴——基于〈反杜林论〉的分析》,载《福建论坛》(人文社会科学版)2016年第11期。

进步和发展。① 罗成富思考了《反杜林论》对道德教育的四点启示：一是道德产生和存在的根源决定了道德教育具有客观必然性；二是道德的阶级性本质决定了道德教育具有鲜明的意识形态性特征；三是道德的"共同之处"决定了道德教育具有非意识形态性的特征；四是道德的历史性决定了道德教育的内容与方法必须与时俱进。②

6.宗教观

学界全面、系统研究《反杜林论》宗教思想的成果少之又少。即便有些研究涉及宗教观，也只是粗线条地从马克思主义宗教观的整体性出发做简单概述。

国外学者对《反杜林论》的宗教观研究集中在阐述其政治价值上。如列宁曾指出，这部著作"是每个觉悟工人必读的书籍"③。威廉·李卜克内西认为："恩格斯的《反杜林论》全面反击了杜林的荒谬言论，其中对宗教的全面阐释，揭露了当时德国

---

① 李睿：《恩格斯科学道德观审视——读〈反杜林论·哲学篇〉有感》，载《人民论坛》2014年第2期。
② 罗成富：《关于道德教育的再思考——读〈反杜林论〉的启示》，载《广西社会科学》2007年第10期。
③ 《列宁专题文集·论马克思主义》，人民出版社2009年版，第67页。

天主教派的丑恶行径,坚定了德国工人运动的前进方向,同时推动了德国的改革。"①

国内学者对《反杜林论》宗教观的研究主要体现在对研究方法的讨论、对宗教本质的论述、对恩格斯对宗教道德与社会革命关系的论述、对宗教思想与资产阶级关系的论述等方面。张鑫指出恩格斯研究宗教思想的方法是历史唯物主义。②顾海良老师主编的《马克思主义发展史》一书指出,宗教是支配着人们日常生活的外部力量在人们头脑中的幻想的反映。恩格斯认为,宗教本质上是对客观世界的一种幻想的反映,是一种虚假的观念。在形式上,宗教是超人间、幻想、虚假、不真实的;但在内容上,宗教则是人间的力量,幻想是人间力量作用的结果。宗教是在自然力和社会的压迫下产生的。③刘尊武认为,恩格斯在《反杜林论》中从经济基础与上层建筑的关系出发,论述了宗教思想中

---

① 姚颖:《恩格斯〈反杜林论〉研究读本》,中央编译出版社2014年版,第42页。
② 张鑫:《恩格斯宗教观及其当代意义思考——〈反杜林论〉和〈费尔巴哈论〉学习体会》,载《前沿》2006年第3期。
③ 顾海良主编:《马克思主义发展史》,中国人民大学出版社2007年版,第180页。

道德与阶级的关系,指出生产力的发展引起经济关系和阶级状况的改变。①罗郁聪、苏振富认为恩格斯阐述了宗教道德与社会革命的关系。这便是"新教的道德反映了新兴资产阶级摆脱封建天主教会统治的要求,它为资产阶级的启蒙运动提供了伦理根据"②。乐燕平提道:"路德在宗教触发了广大农民和城市平民的革命运动后,就站在群众运动的对立面,出卖了农民革命。更有加尔文教派为适应新兴资产阶级的需要,为新兴资产阶级的剥削制度做辩护,支持经营商业和高利贷剥削。宗教由原来盼望救世主拯救变为盼望死后升天,购买'赎罪券'等一系列活动,使得宗教一步步沦为阶级统治的工具。"③黄仲池在《〈反杜林论〉与当代中国的马克思主义》中如是说:"英国资产阶级为什么执迷于宗教,因为它们要披上宗教的外衣来反对宗教。因为资产阶级本来是要推翻封建制度、发展科学的,只

---

① 全国《反杜林论》研究会编:《〈反杜林论〉哲学编疑难问题解》,黑龙江人民出版社1984年版,第125页。
② 罗郁聪、苏振富:《〈反杜林论〉研究》,山东人民出版社1990年版,第153页。
③ 全国《反杜林论》研究会编:《〈反杜林论〉哲学编疑难问题解》,黑龙江人民出版社1984年版,第124页。

因为封建的宗教势力镇压太凶残,于是它就披着宗教的外衣来反对封建的宗教。"①

7.正义观

学界常把《反杜林论》的正义观与平等观放在一起讨论,或将正义问题归为道德伦理问题,与道德伦理相杂糅,单独关注和研究《反杜林论》正义观的论著颇少。王广在《恩格斯对杜林平等、正义观的批判及其当代启示》一文中探讨了恩格斯对杜林正义观的批判理路,指出:恩格斯的批判一改西方政治哲学惯用的通过自然状态假设和社会契约论研究正义问题的理路,确立了研究正义问题的科学方法,开辟了研究这一问题的新范式;恩格斯的批判实现了在正义问题上研究视域的转换,把人们的关注中心从道德和法的领域引向物质生产领域。②在其另一篇论文《正义问题研究的方法论反思——以恩格斯对杜林正义研究方法的批判为例》中,他从四个维度反思了正义问题研究的方法论:一是杜

---

① 黄仲池:《〈反杜林论〉与当代中国的马克思主义》,中共党史出版社1997年版,第291页。
② 王广:《恩格斯对杜林平等、正义观的批判及其当代启示》,载《毛泽东邓小平理论研究》2006年第11期。

林正义研究的先验主义方法;二是恩格斯对杜林正义研究方法的剖析;三是重思现实世界与世界概念的关系;四是重返正义研究的唯物史观视野,最后得出结论:谈论正义问题必须以唯物史观为指导,不能脱离社会历史。①

综上,国内外学者对《反杜林论》的研究深入而广泛,他们从不同角度对《反杜林论》的整体或局部进行了研究,提出了精辟的见解,这对于学习马克思主义起到了积极引导作用。但也应看到,《反杜林论》的研究还亟须改进。一是要从横向的多元视角继续挖掘其思想理论质点。不难发现,研究《反杜林论》的思想观点已涵盖诸多方面,但仍有其他思想尚未被充分挖掘,如生命观就是新领域。二是从纵向的历史视角深入推进《反杜林论》的思想理论研究。当前,学界对《反杜林论》思想理论的研究大多从横向的原理角度去论述其内容,而鲜少从思想史的角度去考察其发生发展的历史脉络,这需要我们下功夫探讨清楚《反杜林论》的思想理论观点与其他思想理论家观点的区别以及马克

---

① 王广:《正义问题研究的方法论反思——以恩格斯对杜林正义研究方法的批判为例》,载《思想理论教育导刊》2016年第6期。

思主义对这一理论的完整发展过程，而不是只局限于分析《反杜林论》这一静止的文献。三是继续加强对恩格斯思想的系统化深入化研究。学界对恩格斯的思想已呈现出多元化、细致化的研究状态，但相对于马克思来说，对恩格斯著作的系统研究成果仍较少、对恩格斯思想的潜在价值挖掘不够，研究力度有待加强。在此过程中，可以尝试跨学科的研究视角，如立足于自然学科与人文学科的交叉领域去研究马克思主义，可能会有新的收获。

参考文献

1. 《马克思恩格斯文集》第9卷，人民出版社2009年版。
2. 《马克思恩格斯文集》第10卷，人民出版社2009年版。
3. 《列宁专题文集·论马克思主义》，人民出版社2009年版。
4. 《马克思恩格斯文集》第4卷，人民出版社2009年版。
5. 《马克思恩格斯全集》第34卷，人民出版社1972年版。
6. 中国社会科学院马列所编：《马恩列斯研究资料汇编》第1集，中国社会科学院马列所编辑出版部1984年版。
7. 中共中央编译局国际共运史研究室编：《研究〈反杜林论〉参考史料》，生活·读书·新知三联书店1980年版。
8. 朱传棨：《恩格斯哲学思想研究论稿》，人民出版社2012年版。
9. 鲁克俭：《国外马克思学研究的热点问题》，中央编译出版社2006年版。
10. 叶卫平：《西方"马克思学"研究》，北京出版社1995年版。
11. [英]戴维·麦克莱伦、臧峰宇：《马克思政治哲学与英国马克思主义传统》，载《北京行政学院学报》2014年第1期。
12. 孙熙国：《马克思主义基本原理的学科对象与整体架构》，载《马克思主义研究》2012年第2期。
13. 周彦霞：《论马克思人的解放思想与马克思主义整体性》，

东北大学出版社 2017 年版。

14. 黄楠森等编:《马克思主义哲学史》(修订本)第 3 卷,北京出版社 2005 年版。

15. 全国《反杜林论》研究会编:《〈反杜林论〉研究文集》,黑龙江出版社 1984 年版。

16. 罗定虹、丁叶来:《〈反杜林论〉中的哲学问题》,中国人民大学出版社 1985 年版。

17. 盛国荣:《消灭私有制:马克思主义理论体系的核心主题——一种马克思主义整体性研究的视角》,载《马克思主义研究》2017 年第 1 期。

18. 罗郁聪、苏振富:《〈反杜林论〉研究》,山东人民出版社 1990 年版。

19. 黄楠森:《哲学的科学之路》,北京师范大学出版社 2005 年版。

20. 郑庆林:《是"物质本体论",还是"实践本体论"——关于马克思主义哲学实质的讨论》,载《学术界》2004 年第 6 期。

21. 姜海波:《南斯拉夫实践派的实践哲学》,载《中国社会科学报》2016 年 5 月 26 日第 4 版。

22. 孙熙国、孙蚌珠、张守民:《马克思主义基本原理前沿问题研究》,安徽人民出版社 2015 年版。

23. 高清海:《高清海哲学文存》第 1 卷,吉林人民出版社 1997 年版。

24. 王国坛:《近 30 年马克思主义哲学研究的逻辑进程——从

物质本体论到马克思的感性思想》,载《哲学动态》2008年第7期。

25. 马德宝:《马克思主义哲学的本体论是实践本体论》,载《求索》1997年第4期。

26. 汤建龙:《物质本体论、实践本体论及本体论思维的超越——对马克思主义哲学的一点看法》,载《江淮论坛》2002年第5期。

27. 黄楠森主编:《马克思主义哲学史》,高等教育出版社1998年版。

28. 吕世荣:《〈反杜林论〉与马克思主义哲学基础理论研究》,贵州人民出版社2014年版。

29. 黄楠森:《建立一个完整严密的科学体系是马克思主义哲学建设和发展的重要任务》,载《社会科学战线》1999年第1期。

30. 黄楠森:《辩证唯物主义世界观只会被发展而不会被消解》,载《北京大学学报》(哲学社会科学版)2001年第2期。

31. 黄楠森:《我的哲学思想》,载《高校理论战线》2000年第3期。

32. 黄楠森:《关于马克思主义哲学科学体系的讨论》,载《毛泽东邓小平理论研究》2010年第1期。

33. 张 兵:《阿多诺:真正的哲学是反体系的》,载《江海学刊》2001年第2期。

34. 锦夫:《我对马克思哲学中"体系"与"方法"问题的理解》,载《江海学刊》2001年第2期。

35. 徐崇温:《实践唯物主义不是唯实践主义》,载《哲学动态》1989年第10期。

36. 郭建宁:《关于实践唯物主义的几个问题》,载《学术论坛》1989年第5期。

37. 许全兴:《有关实践理论的若干思考》,载《中共中央党校学报》1997年第3期。

38. 杨耕:《如何讲授〈辩证唯物主义和历史唯物主义原理〉(第四版)第二章》,载《教学与研究》1997年第5期。

39. 赵家祥:《加强党的理论建设反对唯实践主义倾向》,载《中国特色社会主义研究》2004年第6期。

40. 陈先达:《新时期的哲学成就和马克思主义哲学教材的编写》,载《江西社会科学》2005年第1期。

41. 杨春贵:《论实践范畴在马克思主义哲学体系中的地位》,载《光明日报》2006年5月23日第9版。

42. 郭湛:《马克思主义哲学的实践批判理论》,载《哲学研究》2006年第7期。

43. 田心铭:《实践在世界中的位置》,载《教学与研究》2010年第1期。

44. 张莉、孙熙国:《究竟能不能用"辩证唯物主义"来命名马克思恩格斯的新唯物主义——兼论黄楠森先生所倡导和坚持的

"辩证唯物主义世界观"》,载《当代世界与社会主义》2013年第1期。

45. 王玉樑:《马克思主义的新世界观是辩证唯物主义的世界观》,载《学术研究》2012年第8期。

46. 黄楠森:《不能把实践唯物主义和辩证唯物主义对立起来》,载《天津社会科学》1988年第4期。

47. 赵敦华、孙熙国主编:《中西哲学的当代研究与马克思主义哲学创新》,人民出版社2011年版。

48. 王瑞林:《终极真理体系的破产——学习〈反杜林论〉的一点体会》,载《山东师院学报》(社会科学版)1979年第1期。

49. 陈善、刘性凤:《绝对真理是否存在?——学习〈反杜林论〉体会》,载《郑州大学学报》(哲学社会科学版)1981年第4期。

50. 蔡灿津:《批判"终极真理"论,坚持真理发展的辩证观——学习〈反杜林论〉》,载《新疆大学学报》(哲学社会科学版)1978年第2期。

51. 孔令来:《正确的感性认识可以称为真理——再读〈反杜林论〉和〈唯物主义和经验批判主义〉》,载《中山大学学报论丛》2007年第10期。

52. 王宏波:《恩格斯的真理观与道德观——恩格斯〈反杜林论〉"道德和法·永恒真理"一章解读》,载《马克思主义理论学科研究》2017年第2期。

53. 沈贺:《〈反杜林论〉中的平等思想探析》,载《思想政治教育研究》2016年第2期。

54. 王宏波、郑冬芳:《〈反杜林论〉中的平等观解读》,载《思想理论教育导刊》2012年第2期。

55. 兆丰:《马克思主义的平等观——读〈反杜林论〉关于平等观的论述》,载《法律科学》(西北政法学院学报)1990年第4期。

56. 邓龙奎:《论〈反杜林论〉中平等观的理论转向及其当代价值》,载《云南行政学院学报》2013年第1期。

57. 于建星:《应辩证地看待公平——读恩格斯的〈反杜林论〉有感》,载《求实》2010年第9期。

58. 李纪才:《马克思主义公平观与社会主义初级阶段的公平问题》,载《中共中央党校学报》2008年第5期。

59. 高瑞泉:《平等:和谐社会的必要价值》,载《毛泽东邓小平理论研究》2005年第3期。

60. 段忠桥:《马克思和恩格斯的公平观》,载《哲学研究》2000年第8期。

61. 杨飏:《理性与自由——〈反杜林论〉自由思想学习笔记》,载《湖北师范学院学报》(哲学社会科学版)1991年第3期。

62. 赵伟鹏:《论马克思主义的自由观——学习恩格斯〈反杜林论〉的体会》,载《河北大学学报》(哲学社会科学版)1985年第3期。

63. 黄凤久:《社会主义社会实现从必然王国向自由王国的飞跃是一个过程——读〈反杜林论〉札记》,载《长白学刊》1985

年第 6 期。

64．赵兴良：《略论"反杜林论"中的必然和自由》，载《江西社会科学》1985 年第 2 期。

65．耿步健：《生态集体主义是生态共同体的价值基础——基于〈反杜林论〉的生态文明价值观思考》，载《毛泽东邓小平理论研究》2016 年第 8 期。

66．许志峰：《辩证唯物主义自然观诞生的标志——〈反杜林论〉》，载《东北师大学报》（哲学社会科学版）1984 年第 2 期。

67．周新生：《略谈〈反杜林论〉在辩证唯物自然观发展中的历史地位》，载《安徽大学学报》（哲学社会科学版）1982 年第 1 期。

68．李培超：《〈反杜林论〉的伦理思想探析》，载《吉首大学学报》（社会科学版）2010 年第 6 期。

69．梅荣政：《恩格斯论道德和法的历史性及其启示——〈反杜林论〉第一编九、十、十一章研读》，载《马克思主义理论学科研究》2016 年第 2 期。

70．石中英、尚致远：《〈反杜林论〉与当前的道德评价和道德教育本质问题》，载《清华大学教育研究》1998 年第 2 期。

71．钱广荣：《〈反杜林论〉之道德论的原典精神及当代中国传承》，载《马克思主义研究》2016 年第 2 期。

72．黄学胜：《恩格斯的道德视界及其当代意蕴——基于〈反杜林论〉的分析》，载《福建论坛》（人文社会科学版）2016 年第 W11 期。

73. 李睿:《恩格斯科学道德观审视——读〈反杜林论·哲学篇〉有感》,载《人民论坛》2014年第2期。

74. 罗成富:《关于道德教育的再思考——读〈反杜林论〉的启示》,载《广西社会科学》2007年第10期。

75. 姚颖:《恩格斯〈反杜林论〉研究读本》,中央编译出版社2014年版。

76. 张鑫:《恩格斯宗教观及其当代意义思考——〈反杜林论〉和〈费尔巴哈论〉学习体会》,载《前沿》2006年第3期。

77. 顾海良主编:《马克思主义发展史》,中国人民大学出版社2007年版。

78. 全国《反杜林论》研究会编:《〈反杜林论〉哲学编疑难问题解》,黑龙江人民出版社1984年版。

79. 黄仲池:《〈反杜林论〉与当代中国的马克思主义》,中共党史出版社1997年版。

80. 王广:《恩格斯对杜林平等、正义观的批判及其当代启示》,载《毛泽东邓小平理论研究》2006年第11期。

81. 王广:《正义问题研究的方法论反思——以恩格斯对杜林正义研究方法的批判为例》,载《思想理论教育导刊》2016年第6期。

82. 崔伟奇、翟俊刚:《〈反杜林论〉导读》,中国民主法制出版社2011年版。

83. 王洋洋:《马克思主义的百科全书:〈反杜林论〉解读》,现代出版社2016年版。